Ouate de
phoque!

Catalogage avant publication de Bibliothèque et Archives nationales du Québec et Bibliothèque et Archives Canada

Beaumier, Camille, 1994-

Ouate de phoque !

(Collection Génération filles)
Sommaire : t. 2. Trop dur d'être une ado.
Pour les jeunes.

ISBN 978-2-89662-168-2 (v. 2)

I. Beauregard, Sylviane. II. Titre. III. Titre: Trop dur d'être une ado.
IV. Collection: Génération Filles (Boucherville, Québec).

PS8603.E338O92 2012   jC843'.6   C2012-940012-2
PS9603.E338O92 2012

Édition
Les Éditions de Mortagne
C.P. 116
Boucherville (Québec) J4B 5E6
Tél. : 450 641-2387
Téléc. : 450 655-6092
Courriel : info@editionsdemortagne.com

Illustrations intérieures
© iStockphoto : Elena Kalistratova, Alexander Samoylov
© 123RF : Derya Celik, Pilart, Mihail Sedov, Li Tzu Chien, Ekaterina Rashevskaya, Valentina Rusinova, Volodymyr Gorban, Arturaliev, Basheera Hassanali, Kostyantine Pankin, Teerawut Masawat, Atthidej Nimmanhaemin

Graphisme
Ateliers Prêt-Presse

Dépôt légal
Bibliothèque et Archives Canada
Bibliothèque et Archives nationales du Québec
Bibliothèque Nationale de France
3ᵉ trimestre 2012

ISBN 978-2-89662-168-2

5 – 12 – 16 15 14

Imprimé au Canada

Nous reconnaissons l'aide financière du gouvernement du Canada par l'entremise du Fonds du livre du Canada (FLC) et celle du gouvernement du Québec par l'entremise de la Société de développement des entreprises culturelles (SODEC) pour nos activités d'édition. Gouvernement du Québec – Programme de crédit d'impôt pour l'édition de livres – Gestion SODEC.

Membre de l'Association nationale des éditeurs de livres (ANEL)

Camille Beaumier
Sylviane Beauregard

Ouate de phoque !

Tome 2. Trop dur d'être une ado

ÉDITIONS DE MORTAGNE

À Stéphanie,
qui a été, qui est et qui sera
toujours là pour moi

Camille

À Richard,
parce que c'était lui,
parce que c'était moi !

Sylviane

LOVE

Où on fait la preuve
que le sport a des
propriétés magiques
en plus d'être bon
pour le cœur

6 JANVIER

En attendant le !°/o °/o $?&&! de bus.

HOROSCOPE ANNUEL

Amours : Vous faites peau neuve, cette année. (Comme un serpent ? **Beurk !**) Fini le temps où vous rêviez votre vie. Enfin, vous vivrez vos rêves. (Pas celui de la fille squelette dans ma douche, j'espère.) Vénus veillera sur vous. (Mon cyber-astrologue parle d'**ANTOINE** aussi ? **Ouf !** Je me sens mieux !)

Amitiés : Cette année, vous saurez qui sont vos vrais amis. Vous pourriez être étonné. (**Ouate de phoque !**) Votre nature confiante vous jouera des tours. Apprenez à vous méfier un peu. (De qui ? De qui ?) Un printemps rock'n'roll, gracieuseté d'Uranus, précédera un été des plus agréables. Tout vient à point à qui sait attendre ! (Ça tombe vraiment mal. Je ne suis pas très patiente.)

Finances : Jupiter réserve de belles opportunités aux gens d'affaires qui évoluent à l'étranger. (**Nooon.** Mon père va voyager lui aussi ? Il est le seul gens d'affaires de la famille, c'est forcément de lui dont il est question. **GRRR !**)

Occasions à saisir à la Bourse en mai, août et novembre. (Pourquoi je lis ça, moi ? Je m'use les yeux pour rien. Perte de temps tO-ta-le.)

Famille : La famille prendra beaucoup de place, cette année. Vous découvrirez des secrets qui changeront votre vie. (Qui joue à la cachette ? Mes parents ?! Pas ma Lulu ?!? C'est vraiment exagéré !!!!! Je ne dois rien comprendre...) Vos enfants vous combleront de joie, en juin, lorsque Vénus visitera les Gémeaux. (Je n'ai pas d'enfants qui me combleront de joie. Je n'ai pas d'enfant tout court !! C'est vraiment n'importe quoi. Je lis le bon signe, au moins ? Hummm ! Oui. Il parle peut-être de moi alors, mais en langage codé. Je comblerai mes parents de joie grâce à ma planète fétiche ? J'aurais préféré qu'ils aient pas besoin d'une planète pour comprendre à quel point je suis fantastilique.)

Ouate de phoque ! L'année sera vraiment iNTeNSe. Finalement, j'aime pas ça du tout, une prévision annuelle ! Je préfère les prévisions floues. J'y réfléchis intensément et j'arrive à comprendre teeellement de choses. Faut que j'en parle à Lily.

J'arrête pas de penser à mon horoscope annuel. (Le **bouton** arrêt de mon cerveau reste introuvable.) Qu'est-ce que je dois décoder, au juste ? Miam. La confiture de bleuets de Lulu est vraiment bonne. (**ATTENTION**, Léa, ne mets surtout pas de confiture sur le **clavier** de l'ordinateur. Il est quelle heure ? Bof ! Sept minutes avant que le bus arrive.)

Pour les amours – sujet le plus important –, je vivrai mes rêves. Vénus me protégera et **Antoine** deviendra enfin mon amoureux, mais je devrais me méfier de lui. Parce que l'astrologue parle de méfiance plus loin. Ça n'a peut-être aucun rapport ! C'est la faute de mes neurones trop reposés. Ils font des **LIENS** avec tout, je ne peux pas les arrêter.

Mes **VRAIS** amis ? Pas besoin que les planètes s'en mêlent, je les connais : Lily (ma *BFF*), **Antoine** (qui est AUSSI mon futur amoureux), Guillaume (le meilleur ami de mon futur amoureux et le meilleur gars de l'école), Martin, Sabine (un peu, des fois) quand elle ne trippe pas sur **Océane** (ça arrive de moins en moins souvent, heureusement) ou sur Jérémie, son « supposé » amoureux qui ne sait pas « comment on agit quand on a une blonde ». Ce n'est pas une règle non écrite, ça. **Tout le monde le sait.** Jérémie n'a qu'à écouter *Les frères Scott*. Il a l'embarras du choix. Il peut s'inspirer de Nathan ou de Julian ou de Clay ou de Micro ou de Lucas. Qu'il ouvre les yeux !!!

Océane ? Ce n'est pas mon amie ! C'est... une... compagne que le **HASARD**, qui ne fait pas toujours bien les choses, a parachutée dans ma classe.

Une mission secrète (**OUuuh !**) que le prof de sciences, mon titulaire *foule* souriant, m'a confiée pour l'aider à s'intégrer dans notre belle école parce qu'elle était nouvelle et que c'est plate d'être nouvelle parmi un troupeau d'anciens.

Ma mission s'est terminée lorsque **Océane** est devenue la *BFF* d'Aglaé-la-papesse-de-ce-qui-est-vraiiiment-*in*-dans-la-vie. La papesse ? Elle n'a pas d'amis connus.

– Léaaa ! L'autobus-sse !

– J'y vais, papa. A+ !

Si j'avais des verres fumés, je pourrais cacher mes yeux **légèrement** cernés de **MORTE-VIVANTE** qui a bien profité des vacances pour rêvasser. Je ressemblerais à Lady Gaga. Trouve une autre comparaison, Léa. Parce que Lady Gaga... Sauf que j'aimais bien sa coiffure qui la faisait ressembler à Hello Kitty ! Ça lui allait super bien ! J'ai même essayé de l'**IMITER**. Mais mon père m'a dit que j'étais coiffée comme un troll des cavernes... **Pffff...** Ça n'existe même pas, un troll des cavernes.

J'ai mal au ventre en pensant au point numéro 9 sur ma **A-Liste**, ajouté dans un **MOMENT** de démence tO-ta-le !

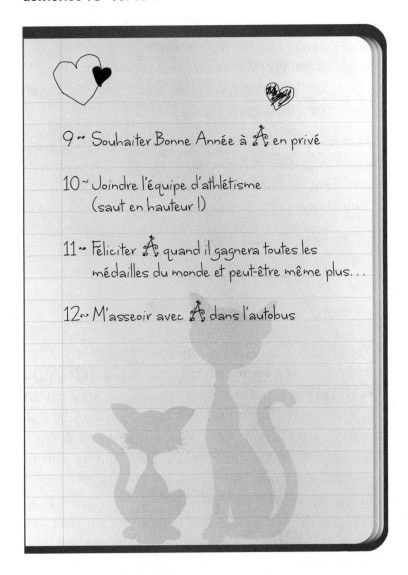

9 ~ Souhaiter Bonne Année à A en privé

10 ~ Joindre l'équipe d'athlétisme
(saut en hauteur !)

11 ~ Féliciter A quand il gagnera toutes les
médailles du monde et peut-être même plus...

12 ~ M'asseoir avec A dans l'autobus

Dans le bus, pas un mot. On se croirait à la bibli. Si les grosses **mouches** n'étaient pas endormies, on les entendrait voler. Benjamin n'est pas là. Lily *DORT*. Même **Petit-Voisin-Parfait** est calme au lieu de s'adonner à son activité préférée : donner des conseils nuls à tout le monde.

Pour le moment, il fait de la buée dans la **VITRE** et dessine des CH dedans. Il a peut-être changé pendant les vacances. Il aura décidé de ne plus babiller comme une pie surexcitée. (J'y crois pas ! Lulu dirait qu'il a été vacciné avec une aiguille de gramophone pour parler autant !)

Lily et moi sommes déjà devant notre case. **PVP** nous raconte ses vacances. C'est moi qui lui ai posé la question. (Je sais. Pas de commentaire.)

Ma première **GAFFE** de l'année, que Lily me reproche déjà en gesticulant comme une pieuvre attaquant un requin ! Une chance, la cloche a sonné. *Blink !*[1]

---

1. Vous croyez à la magie ? Moi, oui, des fois. Comme si quelqu'un agitait sa baguette magique au-dessus de ma tête et que la baguette faisait ce bruit. *Blink !*

Déjà NOTRE table. Nous y sommes tous – Antoine aussi – et tout le monde PARLE en même temps. De ses vacances, de ses cadeaux, des vacances des autres. Je n'ai pas le temps de parler à ANTOINE vraiment. Mais on s'est SOURI. (Il sourit toujours aussi bien.)

Guillaume a souri à Lily qui n'a rien noté. Avec elle, je ne me mêlerai **pas trop** de mes affaires. Elle m'a beaucoup aidée à prendre ma vie en main. Alors je lui dois ça.

Océane regarde Martin de travers. Martin lui fait de **GIGANTESQUES** sourires, c'est trop drôle. Les vacances n'ont rien arrangé entre ces deux-là. Jérémie ET Sabine sont ensemble. Ils rigolent, tout va bien. Jérémie a profité des vacances pour se faire couper les cheveux. Comme tous les autres gars. Sauf que lui, il a opté pour la coupe Justin Bieber. OhMonDieu! D'où son nouveau surnom, *Bieber*. Je vais passer l'éponge sur sa coupe de **CHEVEUX** trop démodée parce qu'il fait rire Sabine. (En passant l'éponge, je le décoiffe. Super idée !)

– Salut, *gang*. Je m'en vais à la salle de bains.

Franchement, Léa, arrête d'annoncer à la terre entière que tu vas aux toilettes. Ça fait tellement prématernelle.

– J'y vais avec toi, Léa, lance Lily, du soleil dans la voix.

– Lily, as-tu remarqué que Guillaume te sourit tout le temps ?

OhMonDieu ! Je suis la reine de la subtilité.

– Guillaume !!! Ben voyons. Il aime tout le monde, Guillaume. Mais il est cool, hein ?

– Guillaume ? Il est *foule* cool !

Lily trouve Guillaume cool. Excellent. Même que c'est excellent **au cube !**

La porte s'ouvre sur Geoffrion. Nous ne lui laissons pas le temps de nous faire son petit discours. Nous sortons. Sans courir, bien entendu. Lily est devant moi, elle sautille pendant que je noue mes 𝕃𝔸ℂ𝔼𝕋𝕊. Je me relève. **Antoine** est devant moi, comme face à face genre, et *foule* bronzé. On a même failli entrer en collision, c'est ce qui m'a permis de remarquer son superbe 𝐁𝐑𝐎𝐍𝐙𝐀𝐆𝐄. (Je ne m'en étais pas vraiment aperçue à la café. Certainement à cause de l'éclairage **GLAUQUE !**)

IL. EST. TOUJOURS. AUSSI. BEAU. J'ouvre la bouche. La pile est à plat. Aucun son. J'ai de la volonté mais pas de voix. Je vois la A-Liste défiler devant mes yeux ronds et je bégaie pendant que mon visage rougit à la vitesse grand V. (Bravo, Léa ! Belle amélioration... **Pffffff...**) ANTOINE a l'air de celui qui ne comprend rien. (Il a raison. Moi non plus, je ne comprendrais pas ma réaction si j'étais lui.) J'ai tellement rougi que mes yeux chauffent. **Ouate de phoque !**

— **Lilyyy, attends-moi !** ai-je crié avant de déguerpir comme si un zombie sorti du cimetière voisin m'avait prise en chasse.

Je contourne Antoine, qui a l'air de ne pas croire ce qu'il vient de voir, et je cours vers Lily qui n'en croit pas ses yeux elle non plus. Un seul mot résume ma réaction : PI-TO-YA-BLE ! Ou PI-TOY-A-BLE ? **Euuuh !** Les syllabes, je les sépare où déjà ? Pas grave si tu as oublié, Léa. C'est d'**Antoine** dont il est question ici.

L'**AUTOBUS** nous ramène enfin à la maison. Personne ne parle. Heureusement, parce que je ne veux pas connaître l'avis de Lily sur mon comportement absolument impardonnable. Je peux l'imaginer très facilement.

PVP s'est assis derrière le chauffeur, convaincu que celui-ci ne peut se passer de ses avis éclairés. L'année commence vraiment bien !!!

Et il fait noir, même si *Aux Rois les jours rallongent d'un pas d'oie.* Ça veut dire quoi ?! Les oies influencent le temps ? Sais pas trop. Il n'y a que ma mère qui dise ça, l'air de nous dévoiler le plus grand secret de Nicolas Flamel[2]. Elle me manque, ma mamounette. Vingt-quatre **dodos** avant son retour. (Dites-moi que vous ne comptez plus les dodos. Sérieux ? **Nan**, vous faites comme moi, je le sens...)

Lulu a décoré la salle à **MANGER**. J'ai oublié l'anniversaire de quelqu'un ? Lulu me dit que c'est les Rois. Les Rois de l'oie ??? (*Googler* l'histoire de cette **ONE** pour en avoir le cœur net.) Les Rois, qu'elle répète plus fort, comme si j'étais sourde. Elle m'explique que ce sont ceux qui ont visité Jésus. (J'étais vraiment dans la **LUNE** ! On célèbre cette fête depuis toujours dans notre famille. Et je connais toute l'histoire. Ils lui apportaient des cadeaux vraiment sans rapport pour un bébé : de l'encens !!! Franchement, c'est te^eell_ement nul.)

Bon. J'ai le temps de faire mon devoir de français avant le souper. Un devoir le premier soir. La **PAUSE** de Noël n'a pas eu d'effet remarquable sur les profs ; ils sont toujours aussi sur les **NERFS** avec les devoirs et les leçons !

___

2. Célèbre alchimiste qui a découvert le secret de la pierre philosophale et de la vie éternelle. Moi, ça m'impressionne.

C'est bizarre ! Lulu m'a fait asseoir **sous** la table. Pas parce qu'on manque de chaises, là. Parce que je suis la plus jeune. Sa demande m'a étonnée mais j'ai obéi sans poser de question. Lulu a fait le gâteau et y a caché une fève en céramique (oui, oui). Je peux bien faire ça pour elle !

La céramique, c'est à cause de mon père. Il est tellement gourmand que l'an dernier, il a tout gâché. Lulu avait caché une fève **COMESTIBLE** dans un gâteau Reine-Élizabeth (le plus approprié, c'est évident). Mon père l'a mangée sans se rendre compte qu'il dévorait *la* fève.

Lulu lui en a voulu, parce que la première fête de l'année était un **Fiasco** à cause de lui.

Elle a donc acheté une fève en céramique (en forme de **LAPIN**) pour que la première fête comestible de l'année ne soit pas gâchée. Personne ne va **croquer** la fève des **ROIS** aujourd'hui. En tout cas, **celui** qui le fera s'en apercevra certainement !

LULU coupe des parts de gâteau et c'est moi qui, du poste de commande (sous la table, je vous le rappelle), lui dis à qui les distribuer (elle a découvert cette tradition dans un de ses nombreux magazines de recettes. Faut pas poser de questions).

Mon père réclame un **GRRROS** morceau, pour avoir plus de chances d'être le roi. Je vous le disais. Il est gourmand **et** très compétitif. Il faut toujours qu'il gagne, même quand il est question d'un gâteau !

Je suis dans ma chambre. Ma **Couronne** dorée posée sur la tête de Teddy rude, mon toutou préféré devenu **RUDE** à force de prendre trop de bains dans la laveuse. Rassurez-vous. Je n'ai pas mangé mon gâteau sous la table. Et je suis la reine de la soirée et ma fève est super belle.

Je n'ose pas ouvrir mes courriels. Je ne veux pas lire les reproches de Lily. Ceux que je me fais à moi-même sont bien suffisants. Je consulte Facebook à la place. **Océane** a écrit sur mon mur. **Ouate de phoque !**

Super party pyjama chez Léa ! ♥ U !

Je clique sur le bouton <u>J'aime</u>. **Ouate de phoque au carré !** Elle a aimé le party ? Cool. Ou elle m'aime, moi ? Les deux ? Pas très clair. Je réponds :

Merciiiiiiiiiii !

Je suis inspirée ce soir !

J'ai ouvert mon **CARNET** tout choupinet. Le point numéro 9 sur ma fameuse **A-Liste** est pourtant clair. C'est moi qui l'ai écrit. Même que je me suis concentrée sur chaque mot pour leur jeter un bon sort. Pourquoi mon cerveau ne comprend pas ce qu'il doit faire quand c'est le temps ? Pourquoi gèle-t-il comme un vieil ordinateur ? Je déteste quand il fait ça !

7 JANVIER

Dans le bus. Lily m'a réservé le banc derrière elle. **OhMonDieu !** Elle veut me parler d'hier. Je suis toujours *extralucide*. Bon **point**. Il faudra chuchoter, car après une seule journée, **PVP** n'a plus le droit de s'asseoir derrière le chauffeur. Il est trop dérangeant et il pourrait être la cause d'un **ACCIDENT** ! Comme c'est une vraie fouine qui aime plus que tout partager ses *bons* (!!!) conseils, on doit préserver notre in-ti-mi-té.

Lily me chuchote à quel point je suis un cas **désespéré**. Mais elle ne me laissera pas tomber ! Je suis un défi qu'elle veut relever. (Je suis tout un défi ! Je ne sais pas si cette remarque est vraiment positive... *À méditer ce soir, Léa.*) En attendant, je suis toute rouge et je ne trouve rien à répondre. « Je ne le ferai plus » me semble peu approprié compte tenu de ma tendance naturelle à figer au mauvais moment.

Nous voilà (**ENFIN !**) dans la cour d'école. Alors que je m'apprête à descendre du bus, **PVP** me souhaite bonne chance d'une voix tonitruante. **Pfiiiiiii...** Vraiment insupportable, ce gars-là. Ce n'est pas en écorniflant qu'il va améliorer sa cote de popularité.

Ce soir, premier cours de danse de l'année. Je fais partie d'une nouvelle troupe. Des filles plus vieilles et, **vraiment**, de bonnes danseuses. Je ne me sens pas à ma place parce qu'elles se connaissent toutes. Moi, elles me connaissent pas beaucoup parce que j'étais dans la troupe des plus jeunes. Ce sont les plus jeunes qui connaissent les plus vieux. Rarement l'inverse. Je ne sais pas pourquoi, mais la vie, c'est comme ça. J'ai hâte que le cours commence. C'est rare qu'on doive jaser quand on **danse**.

Je n'arrêterai plus jamais de danser. C'est trop **BON**. Ce soir, je ne me souviens plus de la raison qui m'a poussée à faire du *cheerleading*. Vous savez quoi ? Ce n'est même pas important.

La chorégraphie est **superbe** et la musique... **OhMonDieu !** On danse sur la musique du film *Flashdance*[3]. Quoi, vous ne connaissez pas *What a feeling* ? **OhMonDieu !** Je vous plains trop.

10 JANVIER

— La vie étudiante vous invite à faire partie de l'équipe d'athlétisme de l'école. Donnez votre nom à madame Carouby. Les pratiques auront lieu dans le gymnase 2, les mardis et

---

3. Film-culte des années 1980. Danseuse autodidacte, Alex est soudeuse dans des chantiers de construction. Elle rêve d'être admise dans une prestigieuse troupe de danse. Je vous laisse deviner la conclusion du film. Un indice. Ça finit bien.

vendredis midi. La compétition régionale se déroulera à la mi-février. N'oubliez pas, on manque un jour d'école pour participer à la compétition.

J'ai improvisé la dernière phrase. On m'a applaudie. **PVP** m'a fait son **AIR** de directeur d'école, version années 1950. Puis il a levé la main pour me suggérer de préciser qui est madame Carouby. Je lui ai rappelé qu'elle est la responsable des activités étudiantes, ce qui l'a satisfait au plus haut **point**. Il m'énerve tellement !

Je m'étais trompée à son sujet. Il n'a pas changé. Ma mère dirait : « Chassez le naturel, il revient au **galoup**. » (Je répète ça comme ça, sans trop savoir si ça convient. J'ai toujours mal compris cette histoire de chasse.) Donc, moi non plus, je n'ai pas vraiiiment changé... La prof d'anglais sourit, **elle**, pendant que je retourne à ma place, sans vraiment rougir.

♥ 💀 ♥

Conclusion : nous sommes pas mal tous pareils à la personne que nous étions le 23 décembre.

♥ 💀 ♥

J'aime la manière dont la  d'anglais s'habille, je l'ai déjà dit. Sa nouvelle couleur *fétiche* est le rose ! (Y a-t-il une autre couleur que le rose ?) C'est plutôt la façon dont elle gère NOTRE temps qui pose problème. Pendant les vacances, elle s'est **rappelé** qu'elle avait **oublié** de nous parler de *l'oral* *presentation. A character analysis from the novel we chose (a long time ago I should say).*

Je choisis mentalement mon personnage. Je vais préparer quelque chose vite fait. Pour avoir du temps pour organiser **MA** vie parce que les adultes qui m'entourent sont assez **INCOMPÉTENTS** dans ce domaine. Par la fenêtre, je regarde les chaises en désordre dans l'agora. Je pense à ma **A-Liste** et je répète mon mantra : Sois **zen**, Léa. Sois zen.

Je lève les yeux. Les autres font semblant de lire. J'espère que je n'ai rien manqué d'important. J'ouvre mon **LIVRE** et je fais semblant de lire, mais je pense à Antoine.

Il faudrait que je suggère une affiche pour remplacer celle qui est apparue devant mon bureau : *Le dernier continent.* Ça n'a rien d'inspirant. Jean Lemire doit bien avoir mille ans. C'est sans doute pour ça qu'ils l'ont affiché ici. Le poster de Justin Bieber est en rupture de stock ? C'est de l'ironie. Je ne trippe pas du tout sur ce **CHANTEUR**.

J'ai fini de manger mon pâté **CHINOIS**. Je me dirige vers la salle de bains. Le corridor est désert. Une **BOMBE** atomique a dispersé les troupes ? Antoine tourne le coin. Je me sens dangereusement zen.

– Allô, Antoine. Bonne année ! J'espè...

Antoine me regarde. Il me sourit et il se place devant moi. Il me regarde droit dans les yeux. Il prend ma main dans la sienne. OhMonDieu ! Ne rougis **surtout** pas, Léa.

Nous sommes debout, au milieu d'un corridor vide, et nous nous tenons les **mains**. J'estime que nous sommes restés là, le cœur menaçant d'**EXPLOSER**, pendant au moins trois heures. **N'oublie jamais ça, Léa** : Antoine sent bon.

Lily tourne le même coin qu'**ANTOINE**. Elle freine, pétrifiée. Puis elle sautille en me faisant notre signe secret mais vraiment tout **croche**. Elle pourrait faire un effort quand même. Un jour, je lui ferai remarquer. Gentiment.

– **Léa ! Antoine !! Oh. Mon. Dieu !!!**

On revient len-te-ment sur Terre. La magie est rompue mais c'était vraiment **trop ma-gi-que** !

– Bonne année, Léa...

J'ai fait semblant de dormir dans le bus parce que je n'avais pas envie de me soumettre à l'interrogatoire de miss CIA[4]. J'espère que je ne plissais pas trop les yeux. Ça a l'air tellement faux quand on plisse les yeux pour simuler un **sommeil** profond.

Pendant que je tentais d'échapper à Lily qui me harcelait, **PVP** a donné quelques conseils tellement

---

4. Central Intelligence Agency. Ce sont des espions engagés par le gouvernement américain. Ils espionnent les autres pour tout savoir. Lily pourrait travailler pour eux.

utiles au chauffeur lorsqu'il est entré dans le bus. Puis il s'est penché sur le cas de Benjamin et, pour finir, il a réglé le problème d'un **pauvre gars** de secondaire un qui n'avait rien demandé. **PVP** ne s'est pas levé pour rien ce matin. Clap ! Clap ! Clap !

Lily m'a chatouillée !!! Trop déloyal comme procédé. **Ouate de phoque !** J'ai fait semblant de me réveiller pas trop vite et j'ai marmonné « Lily ?? » d'une petite voix simili ensommeillée. Mais je pense qu'elle n'y a pas cru. Une impression...

– Vous sortez ensemble ? C'est fait ? a-t-elle chuchoté, trop excitée.

J'opine de la tête. Le sourire du **CHAT** du Cheshire[5] fait dur à côté de celui de Lily. **OUooh !** Elle est contente pour moi. Elle m'a bien coachée. Bien alimentée en framboises aussi...

– Est-ce qu'il embrasse bien ? a poursuivi Lily.

Dans ma **(B)(O)(U)(L)(E)** de cristal imaginaire, je lis qu'elle sera journaliste d'enquête.

Je **HAUSSE** les épaules pour lui dire que je l'ignore. On n'allait pas s'embrasser en plein milieu du corridor, devant **tout** le monde. C'est personnel, ces choses-là. C'est ce que je lui ai mimé pour éviter que **Petit-Voisin-Parfait** me donne des conseils

---

5. Personnage trop souriant du conte *Alice au pays des merveilles*. Si je vendais de la pâte dentifrice, je l'utiliserais dans une publicité. Le chat. Pas Lily !

sur la manière de vivre ma vie, ou encore piiiire, d'embrasser Antoine !

– Quoi ? Vous vous êtes cachés dans les casiers pour échapper à Geoffrion ? a dit Lily en haussant légèrement le ton.

Je fais non de la tête. Je MIME mon explication une seconde fois, en faisant un effort pour bien exécuter chaque mouvement.

– Tu comprends pas, Lily ? On n'embrasse pas quelqu'un au milieu d'un corridor ! C'est vraiment inapproprié ! Et c'est contre le CODE DE VIE, en plus ! C'est ça, hein, Léa ? explique PVP, trop content de m'aider à exprimer mes idées teeellement confuses.

GRrrrrRR !

♥ 💀 ♥

Je n'ai presque rien mangé, même si  avait préparé son super macaroni à la viande. J'ai quand même goûté ses madeleines au citron avant de me réfugier dans ma chambre.

La *character analysis* peut attendre. J'ai raturé le point numéro 9 sur ma A-Liste. L'année commence *foule* bien. Tout est sur la coche, même. Et j'ai une idée à ajouter : dire allô à Antoine demain (ou un autre jour). Pas très original, mais très gentil !

Ma **A-Liste** évolue tellement, c'est beau à voir ! Je prends vraiment ma vie en main ! (Là, à l'instant, je prends mon crayon en main et je **gribouille**. Trop dedans !)

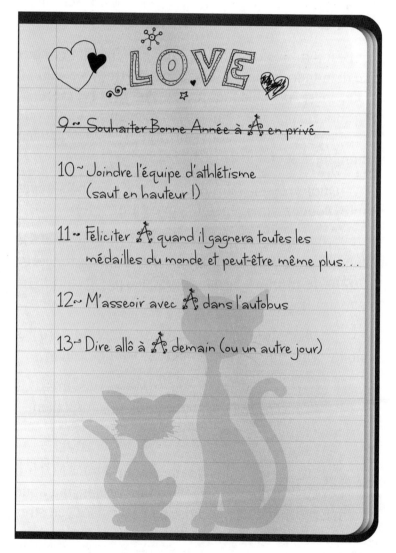

9 ~ ~~Souhaiter Bonne Année à A en privé~~

10 ~ Joindre l'équipe d'athlétisme
(saut en hauteur !)

11 ~ Féliciter A quand il gagnera toutes les médailles du monde et peut-être même plus...

12 ~ M'asseoir avec A dans l'autobus

13 ~ Dire allô à A demain (ou un autre jour)

– Tu as mis ta ceinture invisible ce matin ? demande Geoffrion à Martin, les bras sévèrement croisés sur sa poitrine.

Il est 8 h 21. Nous sommes dans le corridor et nous ne demandons rien à personne. Surtout pas qu'on nous fasse des blagues aussi **nébuleuses**. (Le mot blague me semble très exagéré. « Remarque pochissime » convient mieux pour qualifier l'humour discutable de Geoffrion.)

– Quoi ? répond Martin *knock-outé* par une surveillante. Pouvez-vous répéter la question ?

Fière de montrer qu'elle a renouvelé son stock de blagues usées pendant le congé, Geoffrion se rengorge (**Ouate de phoque !** je suis possédée par le Lafrousse, ce matin !) :

– La ceinture fait partie de l'uniforme ! Tu as oublié ? Demain, porte ta ceinture, Martin ! Sinon...

On est trop renversés pour rire. Je suis très très proche d'Antoine qui me sourit (toujours aussi bien).

Ce midi, pas le temps de niaiser autour de NOTRE table. (Mais j'ai quand même le temps de constater que Jérémie raconte quelque chose à Lily qui a les yeux très ronds. Qu'est-ce qu'il peut bien lui dire pour lui faire cet effet-là ???) Pratique d'**ATHLÉTISME** au gym. Bilodeau m'a acceptée au saut en hauteur.

Le fait que j'ai de longues jambes a certainement fait **PENCHER** la balance en ma faveur. (Pourquoi je dis ça ? Elle ne m'a pas pesée.) Être grande a parfois des avantages. Lily est *extralucide*. Plus que son cyber-astrologue...

Antoine est là aussi. Inscrit à toutes les épreuves de course. Lily nous a suivis. Elle s'exerce à avoir l'*AIR* affairée (affairé ? Affairée. Je ne sais pas trop, là !) et franchement, elle fait bien ça.

Bilodeau se place derrière moi et me donne une poussée. Évidemment, je manque de tomber. Franchement, si l'entraîneur me pousse, la pratique commence mal. Personne n'a rien vu ? **Ouf !**

Bilodeau m'annonce que ma jambe d'appel est la jambe gauche. Comment ai-je pu vivre aussi longtemps sans savoir ça ??? J'ai une jambe d'*APPEL* ! (Est-ce que ça a rapport avec un cellulaire, ça ? Parce que je n'ai pas de cellulaire. Juste pour préciser.)

Bilodeau m'explique que c'est ma jambe gauche qui va me propulser et peut-être remporter une médaille et faire **HONNEUR** à notre **belle** école (je résume sa pensée. Elle n'a pas vraiment parlé de la beauté de notre école). Elle me montre comment courir. (Ça gaze.) Courir. Me donner un élan propulseur avec la jambe GAU-CHE. Lever les bras. Propulser mon dos par-dessus la **barre**. Sans l'accrocher avec mes longs bras. Parce que les longs bras, pour le saut en hauteur, c'est optionnel.

Je sais que ça a l'air incroyable comme ça, mais je saisis tous ces détails subtils **du premier coup**.

Moi, Léa. J'ai des . Je passe facilement par-dessus la barre. Antoine m'observe, appuyé contre le **MUR**, les bras croisés, un sourire *foule* craquant sur ses lèvres encore plus craquantes. Et je ne rougis même pas. Je m'améliore tellement.

♥ ☠ ♥

– T'es pas trop mal à la course, dis-je à Antoine sur un ton ironique. **TOI**, tu vas faire honneur à notre école.

Je vais quand même pas lui dire à quel point je le trouve **SUPER** extraordinaire chaque fois qu'il court. Il devance tout le monde tout le temps. Je vais avoir l'air de manquer d'imagination. Et vous savez que c'est faux.

– J'ai pas de mérite ! Mais toi, t'es tellement bonne au saut en hauteur. T'aurais dû te voir. Tu savais pas que t'avais ce talent-là ? Je te crois pas !

– Je sais pas comment j'ai fait. Bilodeau doit être un bon prof, finalement.

– Ça doit être ça, répond-il avant d'éclater de rire et de poser sa main sur mon épaule.

Sa. Main. Sur. Mon. Épaule ! OhMonDieu !

Lily, qui se trouve derrière nous et qui nous entend sûrement, soupire en surlignant son découragement au crayon rose (évidemment). (Pourquoi mon coach de vie émet ces soupirs découragés ? Elle est témoin de mes progrès plus que fulgurants ; elle devrait être fière de moi. Je suis devenue **HAUTEMENT COMPÉTENTE** en quelques heures. Je m'épate moi-même !) Là, elle nous trouve bébêtes. Elle a pas besoin de le dire. Je sais décoder ses soupirs tapageurs. Les gens ne sont jamais contents ! Il faut que je lui rappelle qu'elle est **un peu** responsable de ce qui arrive.

J'ouvre une parenthèse pour expliquer comment décoder le bulletin émis par notre **belle** école. Les professeurs évaluent nos com-pé-ten-ces. (Nous aussi, on évalue les leurs. Certains d'entre eux pourraient être très étonnés !) Lily et moi, on a défini les expressions les plus incompréhensibles pour que nos parents cessent de nous questionner à tout bout de champ.

EN VOIE VERS LA COMPÉTENCE. Expression polie qui remplace T'es poche, mais on croit en toi. Lâche pas, t'es capable !

COMPÉTENT. Dans le sens de T'as vraiment compris le principe, ma grande ! Continue !

HAUTEMENT COMPÉTENT. Autre expression pour dire que tu pourrais remplacer le prof s'il se retrouvait dans un coma irréversible à la suite d'un terrible accident, ce que personne ne souhaite, bien entendu !

OUPS. La **CLOCHE** va sonner bientôt...

– Lily, cours de math, vite. *Lunettes bioniques* va nous fermer la porte au nez. Ses billets blancs version **bonne année** frétillent dans sa valise. Si on veut pas être les premières gagnantes, faut qu'on se grouille. Bye, Antoine !

On se précipite vers notre **BOCAL**. (Ma vie toute neuve me donne de l'esprit.)

Dans le bus. Lily et moi, on s'est assises dans le dernier banc, forçant l'espion à s'asseoir devant nous.

– Lily, pourquoi tu soupirais, ce midi ?

– Pour vous agacer. Vous êtes tellement chou ensemble, dit Lily en me donnant trois framboises suédoises.

– Philippe, veux-tu des framboises, toi aussi ? ai-je demandé à **PVP** en affichant un sourire candide.

Il va peut-être comprendre qu'on **SAIT** qu'il nous espionne tout le temps. En tout cas, il a rougi et il a poursuivi sa lecture. Un à zéro pour **moi** !

J'ai fait mes devoirs. *Blink !* Puis j'ai raturé le point numéro 10 sur ma **A-Liste**. Le point 13 aussi. Re-*Blink !* Je me sens bien.

14 JANVIER

Tout à l'heure, j'ai envoyé un **courriel** à **ANTOINE** mais je sais qu'il ne répondra pas avant l'an 3000. Parti au chalet pour le week-end.

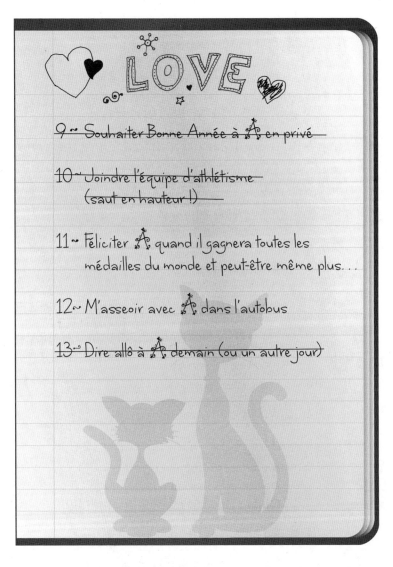

♥ LOVE ♥

9 ~ Souhaiter Bonne Année à A en privé

10 ~ Joindre l'équipe d'athlétisme
(saut en hauteur!)

11 ~ Féliciter A quand il gagnera toutes les
médailles du monde et peut-être même plus...

12 ~ M'asseoir avec A dans l'autobus

13 ~ Dire allô à A demain (ou un autre jour)

Je regarde Edward Cullen et, franchement, il est de moins en moins beau. Je suis devenue une *Team* **Antoine**... Zut ! Lily a raison. Je suis vraiment bébête.

À : Lea.sec2@gmail.com
De : Lily43@gmail.com
Objet : Prendre ta vie en main !!!!!!!!!!!!!

Vas-tu apprendre à skier ? Je te l'avais suggéré... C'est mon idée, oublie jamais ça ! ;-) Zut ! Moucheronne me crie après. Adieu !!!!

Lily

P.-S. *Bieber* fait du ski, lui ! ;-)

À : Lily43@gmail.com
De : Lea.sec2@gmail.com
Objet : Re : Prendre ta vie en main !!!!!!!!!!!!!!

Du ski ? Seulement si tu peux me GA-RAN-TIR que je peux chausser des skis roses ! ;-)

Léa

P.-S. Jérémie ! Rapport ??? ☺

À : Lea.sec2@gmail.com
De : Lily43@gmail.com
Objet : Des skis roses !!!!!!!!!!!!!!!!!!!!!!!

No problema, ma *bella* !

Bon, là, c'est vrai, on part au chalet. Byyyyye !

Lily :'(

P.-S. *Bieber* ? Aucun rapport ! Pour t'informer. Je n'ai pas de secrets pour toi :-D

Un super week-end en perspective. Mamounette est encore à NYC. **Antoine** est au chalet. Lily est au chalet (bis). Lulu prépare des **capucins** au chocolat (bon, une autre expression pas rapport. Je les regarde et, franchement, les capucins ont tout l'air de simples **BISCUITS**.) pour madame je-me-souviens-plus-trop-qui. Mon père ? En voyage au Minnesota pour rencontrer un client qui a peur de l'**HIVER** québécois. Cyber-astrologue a vu ces voyages d'affaires dans le cosmos. Et moi ? Je prépare ma communication orale en français. Si Stéphanie est dans les parages, on ira faire des folies dehors.

Janvier

Sujet : Ouija

À faire pour lundi :
remplir des fiches bibliographiques comme la prof le dit sinon « vous perdrez plein de points et vous allez vous faire zigouiller au cégep et je ne parle même pas de l'université où vous ne serez JAMAIS admis ».
Morale de cette histoire d'horreur : apprenez à faire des fiches bibliographiques comme il faut, c'est foule important

D	L	M	M	J	V	S
						1
2	3	4	5	6	7	8
9	10	11	12	13	14	15
16	17	18	19	20	21	22
23	24	25	26	27	28	29
30	31					

Je fais des recherches et j'ai vraiment des FRISS⊗NS lorsque je lis tous les malheurs qui arrivent aux imprudents qui jouent avec ce morceau de carton brun. OUIJA **est** un morceau de carton.

Je complète mes **deux** fiches tout comme il faut, une virgule ici, un point là, un souligné ici. PAS DE SOULIGNÉ, LÀ ! Que fais-tu là, Léa ?

Maintenant que les fiches qui joueront un rôle déterminant dans mon avenir sont bien en sécurité dans leur pochette transparente qui, elle, est bien en sécurité dans mon **CARTABLE** vert pomme à pastilles blanches (il est *foule* beau !), je réfléchis au plan de ma communication.

Est-ce que je vais parler de notre mésaventure avec une vieille cassette dans mon sous-sol miteux mais chaleureux ? De celle de ma mère ? Je fais une liste. Ça va m'aider à m'éclaircir les idées. Depuis vous-savez-quoi, je ne pense qu'à ça, faire des listes.

Franchement, ma liste ne m'aide pas du tout à prendre une décision super importante. Je vais la DÉCHIRER. (Je recycle, là ! On se calme !)

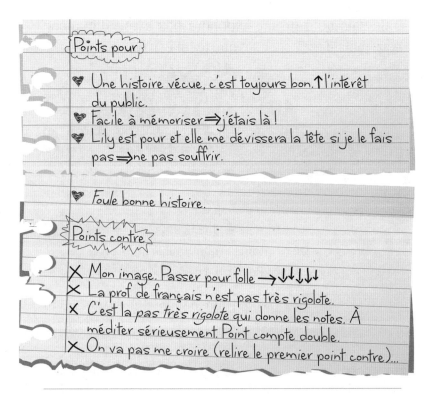

Points pour

♥ Une histoire vécue, c'est toujours bon. ↑ l'intérêt du public.
♥ Facile à mémoriser ⟹ j'étais là !
♥ Lily est pour et elle me dévissera la tête si je le fais pas ⟹ ne pas souffrir.

♥ Foule bonne histoire.

Points contre

✗ Mon image. Passer pour folle → ↓↓↓↓↓
✗ La prof de français n'est pas très rigolote.
✗ C'est la *pas très rigolote* qui donne les notes. À méditer sérieusement. Point compte double.
✗ On va pas me croire (relire le premier point contre)...

À : Antoine17@hotmail.ca
De : Lea.sec2@gmail.com
Objet : Ton avis

Antoine,

Penses-tu que je devrais parler de mon « aventure » avec Ouija et Lily, le soir de l'Halloween ? Pour l'oral de français, je veux dire.

À+

Léa

Je sais qu'il ne me répondra pas avant dimanche soir, mais il *fallait* que je lui écrive.

16 JANVIER

À : Lea.sec2@gmail.com
De : Antoine17@hotmail.ca
Objet : Re : Ton avis

Léa, raconte ton histoire !! Trop hot. C tu vrai ? ;-)

Tchaw

À : Antoine17@hotmail.ca
De : Lea.sec2@gmail.com
Objet : C'est *foule* vrai !

Ben là. Tu te rappelles pas Lily ? TK, juré, C arrivé. Merci du conseil.

J'ai hâte de te voir ! Bizz !

J'ai fait un virtuel à Antoine. Moi. Léa. Je suis possédée. Que pense mon cyber-astrologue préféré de tout ça ?

Amours : Loin des yeux, loin du cœur ? Ce n'est pas toujours vrai. Faites confiance. **Amitiés :** Un ami pratique un sport extrême ? Prudence ! Il pourrait se blesser. **Finances :** Pensez à garnir votre bas de laine. La retraite arrive plus vite qu'il n'y paraît. **Famille :** Une nouvelle vous fera réfléchir. **Votre chiffre chanceux :** le 1.

Ouate de phoque ! Le cyber-astrologue est une vraie *girouetta*[6]. Il me suggérait de me méfier il y a quelques jours à peine. Maintenant, je dois faire confiance. Ce serait bien s'il se **branchait**. Et faire confiance à qui ? À Antoine lorsqu'il pratique son sport extrême ? Le ski est un sport extrême ? Pour moi, oui, mais pour Antoine ? Je ne pense pas, il est si habile. OhMonDieu ! Je suis complètement perdue !

Quelle nouvelle devrait me faire réfléchir ? Elle concerne qui ? Ma mère ? Mon père ? Lulu ? Moi ? D'après mon chiffre **chanceux**, une seule personne est visée. (Ce chiffre chanceux, c'est sûrement une nouvelle **branche** de la mathématique. **Ouate de phoque !** *Lunettes bioniques* nous cachait des utilisations aussi cool.) **Bon, j'arrête de réfléchir. Plus j'utilise mes neurones, plus je risque de les user !**

---

6. Qualificatif utilisé pour décrire notre prof d'espagnol qui change d'idée au moins mille fois au cours d'une seule période et qui peut s'appliquer à plusieurs adultes, dont l'astrologue !

À : Lea.sec2@gmail.com
De : Oceane.therrien@gmail.com
Objet : Party pyjama

Léa, j'organise un party pyjama chez moi, vendredi prochain. J'aimerais que tu viennes. Aglaé sera là.

Dis oui !

O

Ouate de phoque ! C'était ça, la nouvelle qui devait me faire réfléchir ?!? Un **PARTY** avec Aglaé ? (Party et Aglaé sont deux mots totalement et éternellement incompatibles !) Je réfléchis à une invitation qu'on m'a faite pour trouver une excuse potable pour ne pas y aller ? Il est pas si pire, l'**astrologue**. Il peut m'expliquer pourquoi **Océane** trippe sur Aglaé ? Ce serait apprécié, même si c'est pas de mes affaires !

À : Oceane.therrien@gmail.com
De : Lea.sec2@gmail.com
Objet : Re : Party pyjama

Océane,

Ma mère sera de retour. On va fêter ça. Merci quand même.

À demain,

Léa *-*

Bon. Je ne suis pas si émue, mais j'aime  cette émoticône. Même pas certaine que ma mère sera de retour. Mais je veux **PAS** aller **DORMIR** chez Océane, dans la **même pièce** qu'Aglaé. Je pourrais être atteinte de  (j'aime tous les mots qui contiennent le son bul, comme fabule – ce que je fais en ce moment) et je risque de déranger tous les membres de la famille d'Océane. J'ai bien fait.

♥ 💀 ♥

OUPS, j'allais oublier. **Cote du week-end : 7/10.** Les fiches bibliographiques ☹☹☹. Le courriel d'Antoine ♥♥♥♥♥♥♥♥♥. L'invitation pas rapport d'Océane (?). Oups. Ça fait pas **10/10**, tous ces cœurs ? Comment je vais tenir compte des points d'interrogation et des bonshommes *baboune*s ? C'est si complexe.

♥ 💀 ♥

À : Antoine17@hotmail.ca
De : Lea.sec2@gmail.com
Objet : À propos du ski

Le ski, c'est un sport extrême ?

C U

Léa

BEN QUOI. Faut que je m'informe. Je ne pratiquerai **JAMAIS** de sport extrême !

À : Lea.sec2@gmail.com

De : Antoine17@hotmail.ca

Objet : Re : À propos du ski

LOL fois mille !

T'es drôle.

Tchaw

A

J'éteins ma lampe et je me couche. J'ai l'impression d'avoir dit (écrit ?) une drôle de **niaiserie**. J'ai l'impression aussi qu'**ANTOINE** n'a pas répondu à ma question ???

17 JANVIER

Dans le bus. Je raconte l'invitation à Lily qui n'en croit pas ses oreilles.

Cours d'histoire. Le prof a reçu des cravates en **CADEAU**. Une cravate montrant le Bonhomme carnaval, c'est un cadeau ça ? **Ouate de phoque !** Sur quelle planète ?

Il n'y a pas seulement ses **CRAVATES** qui soient nouvelles. Il semble avoir amélioré sa façon de travailler pendant les vacances. Il a découvert un logiciel révolutionnaire : Power. Point. Bravo, monsieur ! La technologie vient d'arriver sur votre astéroïde.

Quand un prof utilise Power Point, il tamise la lumière et là, je risque de dormir. C'est **gênant**, se faire réveiller par le prof en pleine classe. Expérience personnelle très traumatisante.

Le cours commence mal. **Petit-Voisin-Parfait** remercie le prof d'avoir tant travaillé pour nous pendant les vacances. Nous avons tous gloussé. Renversé par une remarque aussi pas rapport, le prof ne trouve rien à répliquer. Il n'a certainement jamais eu d'élève aussi *téteux* que **PVP**.

Comme il ne sait toujours pas quoi répondre aux compliments de **PVP**, il revient à son plan de match (j'aime cette expression *foule* organisée) et il nous explique le code secret qui accompagne ses **NOTES** zébrées. Ce qui est souligné en bleu, ce n'est pas si important. Hein ?! Souligné en vert, ça dépend. De **QUOI** au juste ? En jaune, prenez des notes, c'est important au max. Je parie que ça va être dans l'examen. Je suis *extralucide*, faut pas l'oublier.

Je résume. Il a rempli tout plein de pages avec des trucs totalement inutiles. Qu'il a ensuite surlignés en bleu ou en vert (le rose aurait été plus approprié, juste pour dire) pour nous rappeler que c'est inutile. **Ouate de phoque !** Il m'impressionne **au cube**.

À NOTRE table. Guillaume s'assoit aux côtés de Lily. Il lui demande son avis sur des pièces musicales DISCO. Lily lui fait part de toutes ses observations, elle se lève et mime certains mouvements. Je fais comme elle et on exprime notre amour du disco en mouvements *foule* **fluides**.

Juste à ce moment, Océane s'arrête devant nous.

– Lily, c'est maladif, ton besoin de toujours te faire remarquer, déclare Océane, visiblement embarrassée par notre joie explosive. Léa, on se reprendra une autre fois, OK ? Bye là !

Je souris sans répliquer. Et je ne comprends pas ce que Lily a fait de mal, vu que j'ai fait comme elle. Je regarde autour. Personne ne semble scandalisé par nos déhanchements néo-disco. Océane doit être stressée par la prochaine compétition régionale de NAGE synchronisée et elle passe ses NERFS sur Lily.

Une question comme ça : Pourquoi Océane a attaqué seulement Lily ? Je comprends vraiment pas. Je danse mieux que Lily ? Ou ma *BFF* lui tape royalement sur les nerfs !

18 JANVIER

Dans le bus. Lily est trop stressée. À cause de la présentation orale. Elle a fait une folle d'elle à l'automne. Là, elle veut que ce soit fantastilique.

– Une idée de mise en scène, Léa. Pense vite. Tu es bonne, dans ces affaires-là. **À l'aide !!!**

– Un déguisement ! Les profs aiment ça quand on est habité par notre personnage. C'est intense, un déguisement !

– Bonne idée (je rêve ou elle se moque ?) ! Dis-moi, je me déguise en roche qui tombe d'une cheminée ou en maison hantée ? Ta préférence ?

(En sorcière de Salem !) Lily me tend deux framboises sans dire un mot de plus. GLOUP !

– OK... On va faire du bruit ! **LE** bon bruit au **BON** moment !

Lily sourit. Je sens qu'une idée germe dans son cerveau. Aussi vite que le HARICOT magique dans le conte *Jacques et le haricot magique*.

– Je n'ai pas pu m'empêcher de vous entendre, intervient **PVP**. (Ben voyons !) Je suis un bon organisateur. (Malheureusement, je dois admettre que c'est vrai !) J'ai fait du théâtre au primaire. Je tenais le rôle de Pétrus dans *Le chapeau de Pétrus*. (Et le rapport avec l'exposé de Lily est... ?) Qu'est-ce que je peux faire pour t'aider ? Ne te gêne pas. Je peux...

– C'est beau, Philippe. Si j'ai besoin, je te ferai signe, le congédie Lily, exaspérée.

Geoffrion surveille encore la tenue des gars, ce matin. Son RADAR à délinquants est ouvert. Au secours !

– Antoine, pourquoi portes-tu un pyjama ? demande-t-elle en riant toute seule de sa fabuleuse blague.

Elle s'est **ATTAQUÉE** à Antoine qui rougit (il rougit *foule* bien, presque aussi bien que moi !).

– Madame, je comprends pas. Je suis pas en pyjama, bafouille Antoine, encore plus rouge.

– Explique-moi alors pourquoi ta chemise n'est pas rentrée dans ton pantalon ?

Les blagues **NULLES**, c'est la nouvelle façon de Geoffrion de nous souhaiter bonne journée ? Une réelle amélioration !

Ce soir, à la danse, nous avons fait beaucoup d'étirements. Et le prof nous a rappelé les positions de base. Il s'est acharné sur la *première jazz* et la *première classique*. Pendant tout le cours, il a corrigé notre **POSTURE**. Replacé nos bras. Redressé nos épaules. Je ne me plains pas. Quand je trouve ça trop dur, je repense à mon livre préféré quand j'avais quatre ans : *Martine petit rat de l'opéra*.

Martine tenait bon lorsqu'elle apprenait le ballet. Elle répétait encore et encore les mêmes mouvements. Sans se plaindre. Elle acceptait les remontrances du maître avec le **SOURIRE**. Quand j'y repense, sa perfection était très énervante.

– Léa ? Ça va ? me demande le prof, l'air inquiet.

Il lit dans mes pensées ? Faut que je me surveille. Laurie, une fille qui s'est jointe à la troupe en janvier comme moi et qui a les **ᑎᗩᗰᗩᗰᑎ** roux, me fait de l'attitude. Aucun rapport entre la couleur des cheveux et l'attitude. J'ai toujours rêvé d'avoir les cheveux roux. Pourquoi cette rouquine trop chanceuse me fait de l'**attitude** à **MOI** ? À cause de la mimique que j'ai faite ? Parce que je suis plus grande qu'elle ? Ou parce que le prof lit dans **MES** pensées ? **Ouate de phoque !**

19 JANVIER

C'est aujourd'hui que mon image publique se fait **hara-kiri**. J'ai lu cette expression dans une bande dessinée de Yoko Tsuno[7] et je l'ai trouvée mélodieuse.

Concentration, Léa. C'est la communication orale sur **OUIJA**. Heureusement, il y a le cours de math pour me préparer mentalement. Jamais je n'aurais cru que *Lunettes bioniques* aurait un effet apaisant sur moi. Disons que le fait qu'il n'y aura pas de questions portant sur l'**HOMOTHÉTIE** dans l'examen me réconforte aussi.

---

7. Personnage de bande dessinée créé par Roger Leloup. Yoko Tsuno est **une ingénieure** en électronique. Qui m'a offert cette BD, croyez-vous ?

Petite parenthèse au sujet de la terrible homothétie. L'homothétie est une branche de la géométrie. Dans la vraie vie, cette **BRANCHE** (**Ouate de phoque !**) traite des agrandissements et des réductions. Un exemple concret ? L'agrandissement de la salle de bains des filles qui deviendrait comme par **MAGIE** le *Salon étudiant* dont on rêve toutes et dont on a besoin pour se confier nos secrets en paix ! Je n'avais pas saisi à quel point toute cette théorie géométrique pouvait améliorer notre vie. Et *Lunettes bioniques* qui n'a rien dit ! **Pfff...**

Je regarde encore l'horloge. **Jamais** un cours de math n'a été aussi court. J'assiste à un phénomène assez **inquiétant**.

Déjà la récré. J'ai mal au ventre. J'ai chaud. Je ne remarque même pas **Antoine** qui passe dans le corridor. Il doit me donner une petite tape sur l'épaule pour que je sorte de ma rêverie.

– *Break a leg*, Léa.

– T'avais un cours d'anglais, ce matin ?

– T'es dans la lune rare. *Break a leg*, ça veut dire bonne chance, rigole Antoine.

– Ben oui ! Merciii !

Vous ne pouvez pas avoir entendu mais ce **MERCI** était rempli de soleil. *Blink !*

Je sors la boîte de OUIJA et le gros sel de ma case. Un cri strident m'a prise pour cible. On ne peut jamais avoir la paix dans cette école !

– **Nooonnn ! LÉAAA ! Pas un OUIJAAA ! C'est dangereux ces affaires-là.**

– Sabine, c'est juste du carton et du plastique ! ai-je crié à ma pauvre copine effrayée, la voix remplie d'exaspération.

Suis-je vraiment une bonne copine ? Parce que, au fond, je connais les redoutables pouvoirs de ce jeu maléfique. Je ne devrais pas parler comme ça à Sabine parce qu'elle a raison. Mais j'y penserai demain. Je suis un peu énervée, aujourd'hui. Le cours commence dans dix minutes.

Tout le corridor est devenu silencieux. Puis des éclats de rire fusent d'un peu partout. Jérémie *Bieber* regarde Sabine comme si elle avait une pustule géante sur le nez. Il fait demi-tour et va rejoindre Lily. Jérémie se confie beaucoup à mon coach de vie en ce moment.

Lorsque la cloche sonne, j'entre dans notre bocal. Déjà là, Lily se concentre. Elle sera la première à parler. Elle me fait un signe de tête. On va mettre notre plan d'ENFER à exécution.

– Tout le monde a entendu parler de **fantômes** et de **maisons hantées**. On peut penser que ces affaires-là, ça arrive juste en Écosse, dans les châteaux *foule* vieux. Surtout les super vieux. (Lily fait une lonnngue pause. Roule des **YEUX** effrayés. Elle fait beaucoup d'effet. Même moi, j'ai peur.) **Détrompez-vous !** (Là, nous sursautons tous. Pour une fois, les communications orales sont vraiment palpitantes.) Il y a une maison hantée pas loin d'ici. **La maison Trestler.** La maison Trestler a été construite en...

WOW. Ma **CHOU** est super bien partie. Tout le monde est concentré, la prof prend des notes en souriant. C'est bon signe, le sourire. Les notes ? Ça ne veut rien dire. Elle GRIBOUILLE tout le temps quand on parle en avant.

– Ici, c'est moi devant la cheminée hantée.

Lily montre la photo que j'ai prise d'elle pendant la visite où elle m'a traînée de force. Elle a vraiment l'air d'avoir **VU** le fantôme de Catherine Trestler. C'est vrai que la maison Trestler est très impressionnante. Les vieilles choses me touchent, je suis faite comme ça. **OUPS**, Lily raconte le repas pris dans la grande salle à manger **HANTÉE**. OK. Arrête de jacasser mentalement, Léa. Lily raconte la partie la plus excitante.

– Et là, Jacques Lacoursière – c'est un historien, alors on peut croire ce qu'il dit, hein ! – a crié à la blague : S'il y a des **fantômes** dans cette pièce, qu'ils se manifestent ! Au moment où il a invoqué les **fantômes**, des pierres sont tombées dans le foyer. Les invités ont lâché tout un cri de mort[8].

---

8. Fait vécu et rapporté par monsieur Lacoursière lui-même, un grand historien québécois. Il était intéressant, **lui**. En tout cas, mon père le dit.

Au moment précis où Lily a prononcé le **MOT** fantôme, j'ai lancé mon dictionnaire par terre pour que le **bon BRUIT** résonne dans la classe. La prof a échappé son stylo et s'est levée en criant. C'était vraiment drôle. On aurait ri si l'histoire n'avait pas été aussi terrifiante.

Lily a terminé sa communication orale et a reçu une ovation pendant que **Petit-Voisin-Parfait** souriait, mais raisonnablement (il doit être frustré que Lily ne lui ait pas demandé son aide ; en tout cas, c'est mon interprétation). **Océane** fouillait dans son étui à **crayons** en faisant le plus de bruit possible, incommodée par le désordre que la performance de Lily avait créé.

La prof était impressionnée par la mise en scène. Je sais, on est trop fortes quand il s'agit de **fantômes**... C'est l'expérience !

– Léa, c'est à ton tour...

Je m'avance et j'installe ma **PLANCHETTE**. Je sors le sac de gros sel.

– La vie après la mort nous fascine. Tout le monde connaît une personne décédée. Beaucoup aimeraient communiquer avec ces personnes pour avoir un conseil. Certaines personnes pensent que **OUIJA** peut permettre de communiquer avec les esprits.

Je regarde Lily, tout va bien. Mon public est captivé. Je ne **BAFOUILLE** pas. Il s'agit de ne pas rougir.

– Pour se protéger contre les esprits malins qui peuplent l'au-delà et qui cherchent à venir nous faire du trouble, il est recommandé de dessiner un cercle de protection avec du gros sel.

J'en **PRENDS** une pincée et je fais semblant de dessiner un cercle. Il me reste quatre-vingt-dix secondes. Je raconte mon histoire vécue ou pas ? Décide-toi, Léa. Maintenant !

– Avec Lily, il nous est arrivé une histoire très étrange. Le soir de l'**Halloween**, vers minuit, parce que tout le monde sait que la frontière entre le monde des vivants et celui des **morts** est ténue (je vais avoir un point boni pour avoir utilisé un vocabulaire vraiment approprié au contexte) le 31 octobre (...) le magnétoscope a fait des bruits pas humains et là (...) cassette coincée (...) *Le projet Blair*, un **film d'horreur** (...) C'est ça qui nous est arrivé.

Tout le monde a les yeux **RONDS**. J'ai un peu dépassé le temps qui m'était alloué, mais ça valait la peine. La prof ne **NOTAIT** plus rien, son crayon immobile dans les airs.

J'ai ramassé mes accessoires et je suis retournée à ma place. Tout le monde chuchotait. **PVP** ne chuchotait pas (c'est sans doute contre son cher règlement) mais il avait l'air content pour moi. Océane ? Elle joue à celle qui n'est pas **ÉTONNÉE** par mon histoire. Elle m'a quand même félicitée quand je suis passée à côté d'elle. J'ai pas de mérite. Je n'ai rien inventé. Alors que Lily, elle, s'est donné beaucoup plus de mal. **Océane** n'a pas l'air de s'en rendre compte. Ou elle s'en fiche ?

À l'heure du midi, Lily a apporté mon jeu à NOTRE TABLE. Les gars ont décidé de niaiser Ouija. Ce qui ne se fait pas parce que Ouija est susceptible mais ce n'est pas moi qui vais me plaindre si notre école très-comme-il-faut devient hantée par un esprit malicieux qui s'en prendrait à Geoffrion. On se croirait alors à *Poudlard*[9] et ce serait assez réjouissant.

Première question vraiment très étonnante. Les gars ont demandé à Ouija si les **Canadiens** allaient gagner la Coupe Stanley. Sans hésiter, Ouija s'est précipité sur le oui. Hystérie collective, que même Brisebois, appelée en renfort par Geoffrion, n'a pas réussi à juguler (nouveau mot que j'ai appris récemment et que je peux enfin placer dans une phrase sans que ça ait l'air trop FOU !). Ensuite, ils ont essayé de connaître les questions de l'examen d'histoire. Ouija est resté muet. Déception tO-ta-le.

22 JANVIER

Ce week-end, j'étudie avec Lily. La semaine prochaine, c'est la semaine des **EXAMENS**. À plus. Je vais chez elle.

Ça va mal. Molosse, le chien d'Ida, s'est encore échappé (je le comprends tellement. Moi aussi, je me

---

9. École de sorcellerie située en Angleterre et *foule* réputée depuis qu'elle a accueilli en ses murs un certain Harry Potter.

SAUVERAIS d'elle à la première occasion.) et il me court après. J'ai très peur des chiens. Mon père m'a conseillé de ne jamais courir. Le **CHIEN** penserait que je veux jouer. Il accélérerait et, compte tenu de mes aptitudes à la course, ça finirait *foule* mal. Je dois rester calme et na-tu-relle. Mes neurones me suggèrent plutôt une idée lumineuse !

Je me lance dans un immense banc de **neige**. **J'ai simulé la mort dans un banc de neige.** (La honte.) Le chien d'Ida s'est arrêté. Il a flairé mon visage. (**Nooon !** Ne me lèche surtout pas. Je porte mon mascara *glamour*. Je veux pas être **barbouillée** !) Il a couiné tristement puis il est reparti. J'ai mystifié le chien d'Ida (il n'est pas très perspicace... ça peut être perspicace, un chien ?). **Ouate de phoque !**

– Qu'est-ce qui t'est arrivé ??? a hurlé Lily avant d'éclater de rire.

C'est certain que mes cheveux ébouriffés ET parsemés de neige me donnent un air... inhabituel. Elle a ri encore plus quand je lui ai raconté que j'ai fait semblant d'être **MORTE** pour que le chien passe son chemin. **Pfff...** J'aurais aimé la voir devant Molosse. C'est un épagneul malicieux !

On prend une pause. On a bien révisé. Surtout la géo !

– Lily, je trouve ça plate. Antoine est toujours au chalet pendant les fins de semaine. J'aimerais ça, qu'on fasse quelque chose **ensemble**, des fois.

– Laisse-moi réfléchir. Je vais trouver quelque chose de cool. Tu pourrais l'inviter au bowling. Le salon où on est allés pour fêter mes 10 ans ? On pourrait y aller en *gang*. Dis oui !!!

– Antoine pourrait me donner des trucs. Comme ça, plus besoin de la rampe de lancement pour atteindre les quilles.

– Vous pourriez vous embrasser en paix, aussi.

En **PAIX** ? Devant la *gang* !

– Je n'ai rien à me mettre sur le dos ! Lily, on pourrait aller magasiner ? Dis ouiiii !

– Ouiiⁱⁱⁱiᵢᵢᵢiiiiii ! crie Lily en faisant une danse de la joie.

– Les filles, vous étudiez pas fort, là, crie Ginette en passant dans le couloir.

OhMonDieu ! Ginette nous espionnait ? Ce n'est plus de l'adultite aiguë. C'est du **DESPOTISME** !!

Ouate de phoque au cube ! Ma mère n'est pas revenue. On s'est parlé après le souper. Je lui ai raconté l'oral de français et ça ne l'a même pas fait rire. Aucun éloge à propos de la solidarité estudiantine, un sujet qui l'**inspire** beaucoup habituellement.

À peine quelques questions au sujet de mon cours de danse. Elle a l'air préoccupé (préoccupée ? Je sais pas trop, je n'ai pas fini de réviser mes **NOTES** de français !).

Elle revient quand ? Pas de réponse. Seulement un long silence, suivi d'un bref « Il faut que j'y aille. Bye, ma grande ». Elle ne doit pas savoir. Parfois, les détails ordinaires lui passent au-dessus de la tête. Même si c'est une intello. Peut-être **parce que** c'est une intello. Je n'avais jamais vu ça sous cet angle avant... Se passerait-il quelque chose que je devrais savoir ? Ça ne m'étonnerait pas. On ne me dit jamais **rien**, à moi.

Il faudrait que je questionne mon père au sujet de ma mère et de son **looooong** séjour à NYC, mine de rien. Il est assez naïf, ce sera facile de le faire **PARLER**.

Ce soir, j'écoute le film *Big* avec lui et , qui tricote des pantoufles pour la énième levée de fonds du Club des petits-déjeuners de notre quartier. Je note mentalement une chose. Quand j'irai à NYC, j'irai chez FAO Schwarz[10] et je ferai comme Tom Hanks quand il est allé dans ce magasin de jouets tellement cool. Je sauterai sur les **NOTES** du piano géant. Quel **AIR** je pourrais jouer ?

♥ ☠ ♥

---

10. FAO Schwarz est un magasin de jouets (débiiiiiiiiile) situé sur la Cinquième Avenue, à New York.

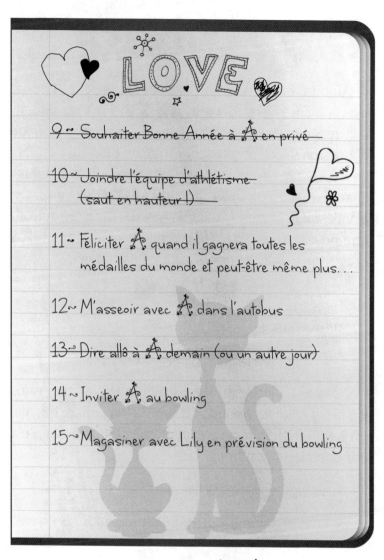

LOVE

9 ~ ~~Souhaiter Bonne Année à A en privé~~

10 ~ ~~Joindre l'équipe d'athlétisme
(saut en hauteur !)~~

11 ~ Féliciter A quand il gagnera toutes les
médailles du monde et peut-être même plus...

12 ~ M'asseoir avec A dans l'autobus

13 ~ ~~Dire allô à A demain (ou un autre jour)~~

14 ~ Inviter A au bowling

15 ~ Magasiner avec Lily en prévision du bowling

Tout va bien. J'ai nourri ma A-Liste.

23 JANVIER

Aujourd'hui, je ne peux pas aller étudier chez Lily car ma présence **PÉTILLANTE** l'a trop décon-centrée hier. (Même pas vrai. Je lui ai expliqué plein de choses en géo ! Un peu. En tout cas, on a tout étudié. La preuve ? On mangeait une framboise suédoise chaque fois qu'on avait une **bonne** réponse. On a vidé quatre sacs !) C'est l'avis de Ginette, qui fait une poussée d'**adultite** aiguë à retardement. Pas grave, on s'est posé des questions par courriel.

Sur ma page Facebook.

Ta mère est revenue, Léa ?

Océane ! **OhMonDieu !** Elle a de la suite dans les idées, elle. Je réponds quoi ? Elle va penser que j'ai **menti** pour ne pas aller chez elle. Ce qui n'est pas complètement faux...

Retour reporté. Encore une fois. Grrr ! Belle soirée pyjama ?

Océane a cliqué **J'aime**. Elle aime quoi ? Sais pas.

Cote du week-end : 6/10. Révision très utile avec Lily ♥♥♥♥♥♥. Une soirée cinéma avec mon père et Lulu ♥♥♥. Le chien d'Ida 🙁🙁🙁. Poussée d'adultite aiguë de Ginette 🙁🙁🙁🙁. Excellent conseil de Lily ♥♥♥. Ma mère reste à NYC ♥🙁♥🙁♥🙁.

24 JANVIER

L'examen d'espagnol était facile. L'examen de géo ? On était **très bien** préparées, contrairement à ce qu'a prétendu une *certaine personne* (je ne vois vraiment pas pourquoi vous pensez que je parle de Ginette). On avait terminé à 14 h et on a eu le droit de quitter l'école tout de suite après. Lily et moi, nous nous sommes **SAUVÉES** le plus loin possible de **PVP** qui comparait ses réponses avec tout le monde. Je vous entends penser : « Ce n'est pas si grave », et c'est vrai. Mais il ne s'arrête pas là. Il **obstine** tous ceux qui n'ont pas répondu la même chose que lui. Il fait toujours ça ! On dirait qu'il veut prouver à tout le monde que **lui** il sait.

25 JANVIER

Une chance qu'il y a la danse pour relaxer malgré les examens. Dans le studio, j'oublie **tout**. (C'est peut-être un peu risqué à la veille d'un examen de grammaire ? On verra ça demain.) J'écoute la **MUSIQUE**. Mes pieds prennent la position voulue et je me laisse emporter.

Le professeur m'a choisie pour faire une démonstration. Je crois que Laurie aurait préféré qu'il la choisisse, elle.

Mon père me ramène à la maison et ne parle pas beaucoup. Il est comme moi. Nous aimons rêver en paix. Je reste dans ma **BULLE**, trop concentrée. Il faut que je trouve un moyen de le faire parler au sujet de ma mère. (J'ai du **PAIN** sur la planche ! Quelle planche ? Quelle sorte de pain ? **Ouate de phoque !** C'est compliqué.)

28 JANVIER

Le dernier examen a bouclé le processus de zombification. Lily mange des **FRAMBOISES SUÉDOISES** avec appétit. Je ne sais pas comment elle fait. Je ne pense qu'à retourner à la maison et à m'asseoir devant la télé pour écouter *Les frères Scott*. Est-ce que Julian va finalement sortir avec Brooke ? Je veux savoir !

Antoine sera au chalet pendant le long week-end parce qu'on a congé lundi. Idem pour Lily qui va skier sur la Wii avec son cousin et **Moucheronne** pendant que leurs parents vont geler sur les pentes à faire du vrai ski. Attention ! La Wii a révolutionné notre manière de faire du sport, c'est évident.

Moi, j'ai supplié mon père d'écouter le film *Le mystère des fées : une histoire vraie* avec moi pour la vingtième fois. Un vieux film, mais super bon. Deux **FILLES**, comme moi et Lily, photographient de vraies fées qui vivent cachées dans la campagne anglaise. Elles bricolent une maison aux fées. La ressemblance avec nous s'arrête là. Moi, je leur aurais fait une grotte !

Depuis que j'ai vu ce film, je fais attention pour ne pas mettre le pied dans un **CERCLE** de champignons. Si vous saviez les  qui vous y guettent, vous éviteriez vous aussi.

♥ 🐱 ♥

Dans ma chambre. Il est 23 h 07 et je n'arrive pas à dormir. Je rallume ma lampe. Je sors ma A-Liste :

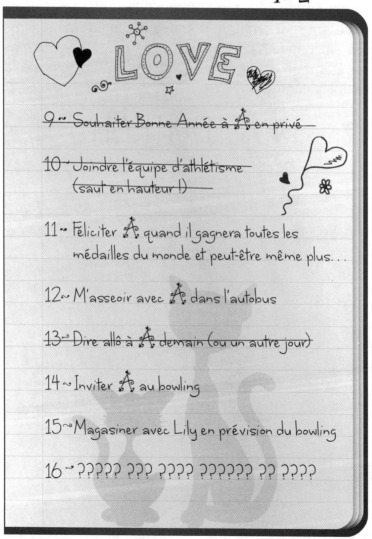

LOVE

~~9 ~ Souhaiter Bonne Année à A en privé~~

~~10 ~ Joindre l'équipe d'athlétisme (saut en hauteur !)~~

11 ~ Féliciter A quand il gagnera toutes les médailles du monde et peut-être même plus...

12 ~ M'asseoir avec A dans l'autobus

~~13 ~ Dire allô à A demain (ou un autre jour)~~

14 ~ Inviter A au bowling

15 ~ Magasiner avec Lily en prévision du bowling

16 ~ ????? ??? ???? ?????? ?? ????

Le point 16 est assez . J'espère que j'aurai plus d'inspiration demain ! Éteins ta lampe, Léa. Tu perds ton temps.

01 h 14. Pas capable de fermer l'œil. Disons que je dormirais mieux si je fermais les deux yeux, mais déjà, un seul serait un bon début. J'ai attrapé le virus de l'insomnie ? Je rallume ma lampe. Je ne peux pas arrêter mon CERVEAU de penser à la Saint-Valentin.

J'AI TROP HÂTE.

LOVE

Où Léa découvre
LE truc pour
devenir championne
au volley-ball

3 FÉVRIER

Ce matin, le **pétulant** prof d'espagnol nous a distribué le journal *Ahora*. (On dirait que la soirée a été dure, hier. Vous devriez voir à quel point ses **YEUX** sont cernés.) Alors, on a eu la chance de lire un article au choix dans cette *revista* pendant qu'il regardait les chaises bien alignées dans l'agora en se frottant le menton. Ensuite, il a fallu répondre à des questions à *seleccion multiplo*. J'ai choisi le texte qui parlait d'une grande **STAR** au Mexique, Miley Cirus. Tout le monde dormait, alors le cours s'est bien déroulé.

P.-S. Si c'est vrai que le 3 fait le mois, on aura la paix en février !

4 FÉVRIER

— Ce midi, vous êtes invités à assister à la compétition d'avions de papier fabriqués par les élèves de secondaire trois. Venez encourager les ingénieurs de demain !

Madame Carouby s'est surpassée. Quel mémo **NUL**. Il faudra arriver tôt si on veut une bonne place. (Je suis trop drôle !)

— Antoine, viens-tu à la compé d'avions de papier ? Dis ouiii !! ai-je supplié **sans rougir** !!!

Je ne me reconnais plus moi-même.

– Venez, les gars ! Ça va être super drôle ! a ajouté Lily en sautillant autour de la table, même si Océane la regardait tellement *croche*.

Je constate que son allergie à la joie récidive. Très mauvais signe.

Sérieux. Océane a de plus en plus de mal à supporter Lily. (Et elle le cache de moins en moins bien.) Dommage pour elle. Elle ne sait pas ce qu'elle manque. Quand je pense à la mission d'intégration, je suis trop contente que mon titulaire ait pensé à moi. Je sais, ce n'est plus de l'ironie, c'est du sarcasme.

Je me lève. Les gars nous **SUIVENT** en se bousculant. Sabine et *Bieber* sont déjà au gym. Sabine a l'air tellement heureuse (heureux ? Ben non, ça sonne trop mal. Heureuse !).

C'est mon nouveau truc AGG (anti-gaffes grammaticales). Je prononce les mots à voix haute. Si ça sonne **bizarre**, je me questionne parce que ça risque d'avoir l'air fou sur le papier aussi ! Pour revenir à Sabine, tant mieux, j'haïs ça, les gens qui pleurnichent à NOTRE table. Ça fait tellement 2002 !

On est arrivés juste à temps pour apercevoir un  piquer du nez à 30 cm de la ligne de départ. Antoine et Martin hurlent des encouragements sans rapport. Ils mettent de l'ambiance. C'est une bonne chose car nous ne sommes pas beaucoup de spectateurs.

– Enfin ! Vous voilà ! C'est pas mal plate, ici. Lily, invente-nous donc une danse pour les avions qui piquent du nez, suggère Jérémie en riant. J'espère que t'es en forme. Ça vole pas haut !

Lily s'exécute. Je vois des **B R A S** qui s'agitent dans les airs et qui se déplacent le long du terrain. Lily est trop folle ! C'est vraiment drôle. Le prof de sciences de secondaire trois, gêné par les performances désastreuses de ses étudiants, a l'air de se dire que ça ne sera pas mieux avec nous. On va s'AMUSER l'an prochain avec lui, je le sens !

Je suis avec Antoine. Quand un ✈ AVION franchit 48 cm – c'est un record –, nous sommes trop dedans et nous sautons avec autant de passion que des sauterelles dans un champ de blé au mois d'août. Et là, même si ce n'était pas écrit sur ma A-Liste, JE LUI AI FAIT UN BISOU SUR LA JOUE. Lui, il rougit et il me serre contre lui. OhMonDieu ! J'ai vraiment fait ça. Dommage que, dans la vie, on ne peut pas se voir en reprise, comme au HOCKEY. Pour une fois, j'aimerais bien me revoir en action.

– DISTANCE ET DISCRÉTION !!!!!!!!!!!!!!!!!!!!!

OUATE DE PHOQUE exposant mille ! C'est quoi, cette phrase *poche* ? Brisebois ne prend jamais de pause ? Je regarde autour. **Elle n'est nulle part.** Elle a des pouvoirs MAGIQUES ? Une cape d'invisibilité, comme Harry Potter ? Ça expliquerait certaines choses étranges qui se passent dans notre école.

J'éclate de **rire** en rougissant. À moins que je n'aie rougi en éclatant de rire. (Remarquez, ce n'est pas si important pour la suite de l'histoire mais j'aimerais savoir.) Je regarde Lily, qui est sidérée elle aussi par cette voix venue de nulle part. JE. SUIS. HUMILIÉE. **Antoine** ? IL. EST. CRAMPÉ. Ses joues sont rose foncé ! **OhMonDieu !**

♥ ☠ ♥

À la salle de bains.

– *Bieber* est pas mal fou, hein, Léa ?

– Comme toujours. Il met de l'ambiance, ai-je répondu distraitement.

Je suis concentrée sur mes  qui ne dérougissent pas aussi rapidement que d'habitude. (C'est une impression, je ne les ai jamais chronométrées !) C'est quoi, leur problème ? Je les asperge d'eau **glacée**. Elles rougissent encore plus. À l'aide !!!

– Toi, ma chou, t'étais en feu tantôt ! Distance et discrétion, Léa. Distance et discrétion..., répète Lily en singeant Brisebois.

– **Je sais. OhMonDieu !** Imagine ! Je lui ai fait un bisou sur la joue. Moi, Léa Beaugrand. J'ai embrassé Antoine publiquement.

La porte s'ouvre. Pas Geoffrion. **Nooon.** S'il-vous-plaît-s'il-vous-plaît-s'il-vous-plaît ! Juste vingt secondes de **P-A-I-X**, promis, pas une de plus. Il nous reste des choses à régler...

– Mesdemoiselles, si vous avez terminé, sortez. Ce n'est pas un *Salon étudiant* ici...

Nous, les jeunes, nous **CHANGEONS**. C'est comme ça et on n'y peut rien. Certains adultes, eux, sont fiers quand ils ne changent pas. Ils sont peut-être épuisés parce qu'ils ont beaucoup changé depuis leur naissance et là, ils prennent une loooongue pause. (Je suis intense **au cube** aujourd'hui. Je sais, j'ai déjà dit le contraire à propos des *girouettas*, mais je ne parlais pas de Geoffrion.) Elle est fière de SA précieuse blague (pas le choix, c'est la seule qu'elle a à son palmarès !) et la répète sans cesse depuis le début de l'année. Nous sortons de la salle de bains, sous le regard moqueur d'Aglaé-la-papesse-de-ce-qui-est-vraiiiment-*in*-dans-la-vie qui passait par là. **GRRR !**

– On va à notre case, Léa. C'est l'heure des framboises !

À la récré, Lily et Jérémie se sont retrouvés dans le corridor pour une **PaUSe** framboises suédoises bien méritée. Lily est absorbée par ce qu'il lui raconte. Elle est en pleine consultation, on dirait.

Moi ? J'ai parlé du bowling à Antoine. Il a dit oui et m'a serré l'épaule au lieu de me faire un bisou sur la joue parce que Geoffrion patrouille dans les environs. Seul point à régler : quand ?

Zut ! La cloche ! Pas de radar en vue ? Je lui fais un bisou sur la joue ! *Yesss !*

Pour finir la journée, cours de français. Les accords des **VERBES** pronominaux. Voici arrivé le moment où on doit arrêter de faire semblant d'être attentif et où il faut participer activement. (Je blague, j'adore le cours de français !) Notre mission : faire les exercices en équipe de deux. Je suis jumelée à **PVP**, je ne sais pas trop comment c'est arrivé. Il m'a proposé tellement vite qu'on fasse équipe ensemble et je n'avais pas encore trouvé mon **STYLO** rose tout choupinet qu'il était déjà installé à côté de moi, le cahier ouvert à la bonne page, prêt à répondre à la première question. Son extrême efficacité est vraiment stressante. C'est vendredi, quand même !

PVP veut à tout **Prix** qu'on ait terminé les premiers ET qu'on ait tout bon. Alors, on ne dit pas un mot de trop. Ça tombe bien parce que je ne saurais pas quoi lui raconter. On se concentre donc sur les mystérieux verbes pronominaux. Évidemment, on a terminé l'exercice dix minutes avant tout le monde. Et **PVP** la fouine en a profité pour me harceler avec ses questions indiscrètes et tO-ta-le-ment inintéressantes. Je lui pardonne. (**OhMonDieu !** Je dois couver quelque chose. Une gastro, peut-être ? **Beurk !**)

– Brisebois t'a *distance-et-discrétionnée*, ce midi ? m'a-t-il demandé, plus en forme que jamais. La machine à potins de l'école est en feu, aujourd'hui.

– Tu crois tout ce qu'on raconte, toi ? ai-je répliqué du tac au tac et sans rougir.

Je suis fière de moi. La bonne réponse au bon moment ! Si la prof pouvait se décider à corriger l'exercice **TOUT DE SUITE**, ça finirait super bien la semaine.

– Qui veut nous expliquer le premier numéro ? demande la prof avec qui je fais de la télépathie depuis **maintenant** !

Mes neurones peuvent être vraiment performants quand ils le veulent. *Yesss !* ΕuWuh, *Quiiiii !* (C'est le cours de français. Fais un effort, Léa !)

– **Moi** ! **Moi** ! **MOI** ! s'époumone mon coéquipier en agitant son long bras dans les airs, tellement content d'exposer son grand talent devant toute la classe qui s'en fiche tO-ta-le-ment.

Relaxe un peu, **PVP** ! Ça ne compte même pas dans le bulletin...

Je suis dans ma chambre. Mon père lit ses courriels sur son cellulaire. Lulu écoute une émission de **CUISINE**. J'ai enfin fini mon devoir de géométrie. Je sais, c'est vendredi. Mais j'ai décidé de me débarrasser de mes **DEVOIRS** le vendredi pour avoir deux belles journées pour penser à autre chose qu'à l'école.

Je ne comprends rien en géométrie – l'effet vendredi, sans doute – et plus je travaille, moins je comprends. *Faux.* J'ai compris une chose. Je ne serai jamais architecte.

Bon. Aucune activité significative dans Facebook. Reste à vérifier mes courriels.

Antoine ? Il ne va pas au chalet ? **OhMonDieu !**
Qué passa ?

À : Lea.sec2@gmail.com
De : Antoine17@hotmail.ca
Objet : Salut !

Juste pour te souhaiter un bon week-end.
Jpars au chalet.

Tchaw !

A ♥♥

OhMonDieu ! J'HALLUCINE !!
Il est trop chou !!! Il a ajouté deux cœurs vraiment
mignons à sa signature. PAS RIEN QU'UN. DEUX !!!
Quand je vais dire ça à Lily, elle va **capoter**.

À : Antoine17@hotmail.ca
De : Lea.sec2@gmail.com
Objet : Re : Salut !

À toi aussi. Bon skiii ! Oublie pas, pour le
bowling.

Léa ♥♥♥

Le message de Lily maintenant. Elle fait la grève du chalet ? Je suis étonnée. Pour sa mère, le 🎿 au chalet de son frère, c'est sacré.

(Vous avez vu les 💗 💗 💗 💗 💗 cœurs que j'ai ajoutés à la fin de mon courriel ? OK. Je voulais juste m'en assurer.)

À : Lea.sec2@gmail.com
De : Lily43@gmail.com
Objet : Un *BFF*

Léa,

Penses-tu qu'un gars serait un bon *BFF* ?

L.

INTENSE pour un vendredi, ma *BFF*. Bon. Concentration. C'est une question très sérieuse. D'après moi, elle pense à Jérémie, là.

Ce n'est pas si évident. Il faut que j'y réfléchisse. **Première option.** Je lui dis que je pense qu'il serait *foule* mauvais et j'ai tout faux. Pas fort. **Deuxième option.** J'encourage Lily comme une *cheerleader* « trop dedans » et Jérémie est aussi nul en « super amitié » qu'en ❤️💛💚❤️💙. Pas vraiment mieux. **Troisième option.** Il reste du fudge de Lulu dans le frigo. Un petit morceau pour me donner des idées. Rien qu'un...

À : Lily43@gmail.com
De : Lea.sec2@gmail.com
Objet : Re : Un *BFF*

Un *BFF* gars ? Pourquoi pas ! Ça permet à une fille de comprendre les autres gars qui sont difficiles à comprendre parce que ce sont des gars. ETK

Léa ☺

À : Lea.sec2@gmail.com
De : Lily43@gmail.com
Objet : Ben là !!

Léa,

C'est presque clair, ton message. Ça veut dire oui ? OK. Tes neurones ont besoin de framboises, là !

Lily

À : Lily43@gmail.com
De : Lea.sec2@gmail.com
Objet : Re : Ben là !

Ouais ! À ta question et pour les framboises !

Léa

Nos vies toutes neuves se COMp|oquent.
Lily pense que Jérémie pourrait être son *BFF* gars.
Moi ? Je fais des bisous spontanés à Antoine
sous le regard du caporal Brisebois. C'est comme ça,
quand on a une vie ? Elle se complique toute seule ?
OhMonDieu !

LULU est partie chez elle après son
émission. Philémon (son CACTUS !) devait avoir
besoin d'eau.

Mon père et moi, on se fait une soirée cinéma.
C'était son tour de choisir le film. On a passé tellement de temps au club vidéo. J'avais peur que le
préposé APPELLE les policiers
qui nous auraient accusés de flânage. Ne riez pas.
Ça aurait pu arriver. Et la petite ⦃AFFICHE⦄
à l'extérieur du club vidéo où on peut lire *Pas de
flânage* ? Je n'invente rien !

On a loué quoi ? *La planète des singes*. Le premier
ET le deuxième film d'une trop longue série. (Le
premier aurait suffi, croyez-moi.) Oui. Les versions
originales. Les seules qui méritent notre attention.

Mon père connaît le NOM de tous les
personnages. Il a passé la soirée à me dire « Regarde
bien. » ou « As-tu vu ça ? » J'étais troublée. Quand
je suis devant la télé, j'ai l'air de faire quoi ? Ce
n'est pas évident que je regarde ce qui est projeté

sur l'écran ? J'ai l'air de me **COUPER** les ongles d'orteils ?

Pour se faire pardonner son choix plus que désastreux, il a **FAIT** le meilleur pop-corn maison de l'année. Je sais, l'année est encore jeune. Mais son pop-corn était *foule* réussi.

Le point culminant de notre soirée. À la fin du film, les deux héros (pas pour moi) – on va dire les deux héros de mon père – font du **CHEVAL** sur une **PLAGE** (super bucolique) et, au détour d'une énorme falaise, ils aperçoivent la statue de la Liberté, rouillée et enfouie dans le sable. On ne voit plus que sa **COURONNE** et le haut de son visage. Ils comprennent qu'un cataclysme a détruit New York (et la Terre aussi). Ils en sont très chagrinés. J'avais les larmes aux yeux parce que je ne suis jamais allée à NYC et que ma mère est là et que je m'ennuie d'elle et que le mois de janvier a été trop long. Paniqué, mon père s'est dépêché de remettre les DVD dans leur boîtier. D'après moi, il ne louera plus *La planète des singes*.

6 FÉVRIER

J'ai enfin raturé le point 14 sur ma **A-Liste**. Bon travail, Léa !

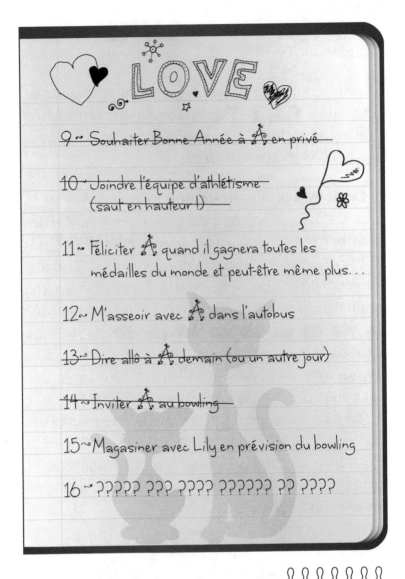

LOVE

9 ~ ~~Souhaiter Bonne Année à A en privé~~

10 ~ ~~Joindre l'équipe d'athlétisme (saut en hauteur !)~~

11 ~ Féliciter A quand il gagnera toutes les médailles du monde et peut-être même plus...

12 ~ M'asseoir avec A dans l'autobus

13 ~ ~~Dire allô à A demain (ou un autre jour)~~

14 ~ ~~Inviter A au bowling~~

15 ~ Magasiner avec Lily en prévision du bowling

16 ~ ????? ??? ???? ?????? ?? ????

Antoine croit qu'on pourra aller au **BOWLING** pendant la relâche. Ça reste à confirmer avec ses parents. Lily et moi, on ira **magasiner**. J'adore le mois de février !!! Maintenant, la cote du week-end. Excellente.

Cote du week-end : 10/10. Antoine a ajouté deux cœurs dans un courriel ♥♥♥♥♥♥♥. Une soirée cinéma avec mon père ♥♥♥. Les films *pochissimes* que nous avons écoutés 🙁🙁🙁🙁. La Saint-Valentin est dans dix dodos ♥♥♥♥♥♥♥♥. Bowling en vue avec Antoine ♥♥♥♥♥♥♥.

Même absent, ΛΝΤΟΙΝΕ a une énorme influence sur la cote. *Blink !*

7 FÉVRIER

— Bon, c'est le temps de penser à la Saint-Valentin. Pour commencer, le port de l'uniforme sera obligatoire, ce jour-là.

Je me fais huer.

— Mais vous pouvez porter des accessoires rouges : des bas, une cravate, une parure de tête (**Ouate de phoque !**). Il y a quelque chose de nouveau, cette année. Une levée de fonds pour financer le bal de fin d'études. Il va y avoir une table à la cafétéria ! Vous achetez une rose. Pour seulement 4 $. Vous remplissez la carte. Le 14, votre fleur sera livrée à votre valentin. (Clap ! Clap ! Clap !)

Un **silence** digne d'un lendemain de tempête de neige ENVELOPPE la classe qui réfléchit à l'unisson au même problème. À QUI offrir LA rose qui va tout déclencher ? Ou QUI devrait leur offrir LA rose qui déclenchera tout ce qu'il y a à déclencher ? C'est tellement difficile, prendre cette décision.

– Vous avez fait votre devoir ? Qui peut me donner la réponse du numéro un ? Léa ?

Ouate de phoque ! Pourquoi moi ? J'ai vraiment autre chose à faire, ce matin. Penser à la Saint-Valentin est en priorité sur ma liste. Si je disais que j'ai oublié mon devoir à la maison ? Pendant que j'hésite, **PVP** hurle la réponse, trop fier de montrer à la terre entière qu'il fait ses devoirs, lui. Sait-il ce que Lulu dirait ? Dans sa PEAU mourra le CRAPAUD !

♥ ☠ ♥

Nous nous sommes réfugiées à la salle de bains. Le-jour-de-la-rose occupe chacun de nos neurones émoustillés depuis que j'ai lu le mémo de la vie étudiante. Ce jour peut changer nos vies, c'est évident. Bon, c'est peut-être exagéré, parler de « nos vies entières ». Mais il y a des choses qui changeront, c'est certain.

– Léa, je vais donner une rose à *Bieber*. Les finissants méritent ça.

– Bonne idée, Lily. J'espère que Sabine ne le prendra pas mal. C'est son chum, quand même. T'as pas peur de lui faire de la peine ? Elle est sensible, Sabine. Vas-tu en donner une à Guillaume aussi ? ai-je ajouté sur un ton très doux, pour ne pas la vexer.

Je dé-tes-te ça, rappeler des ÉVIDENCES à mes amies. En tout cas, Lily ne réagit pas. De toute façon, elle va faire ce qu'elle a décidé.

– Moi, je pense en offrir une à Antoine. Mais si lui ne m'envoie rien, je vais avoir l'air d'une vraie folle...

– **LÉA !** Tu donnes une rose à Antoine ! Point !

À cet instant, Geoffrion ouvre la porte. On dirait que c'est devenu un **JEU** entre nous.

– Madame Geoffrion, j'avoue. On tirait nos plans pour la Saint-Valentin. Ici, c'est certain que les gars ne peuvent pas nous entendre. On se demandait…

– C'est correct, Léa, c'est correct. Sortez, les filles, il ne reste presque plus de pizza à la cafétéria.

– Merci, madame ! ai-je répondu, plus que soulagée.

À méditer : j'ai neutralisé Geoffrion sans l'aide de mes faux cils. C'est vraiment une bonne chose parce que je suis encore incapable de les coller comme il faut. Battre des **CILS** et sentir qu'il y en a un qui décolle pendant l'opération, ça manque tellement de style !

– Léa, tu penses à quoi ? Moi, je veux de la PIZZA ! Viiiiiiite !

– LES FILLES ! ON NE COURT PAS DANS LES CORRIDORS…

GRRR !

♥ 💀 ♥

Je relis ma A-Liste depuis dix minutes. Mon stylo rose bat la mesure comme le métronome de notre chère prof de MUSIQUE. Je dessine des spirales qui devraient ressembler à des roses. C'est RAté.

Je lui offre une rose ? La Saint-Valentin devrait être en juin, ça faciliterait les choses. Je serais au bord de la route, en train de cueillir des . J'en effeuillerais autant qu'il faut pour avoir une réponse claire ! C'est pour ça que février rime avec compliqué ?

DATE LIMITE pour me décider : 10 février. Tes neurones ont besoin de vitamines, Léa. Agis !

J'écris ça sur ma **A-Liste**. Ça va me motiver !

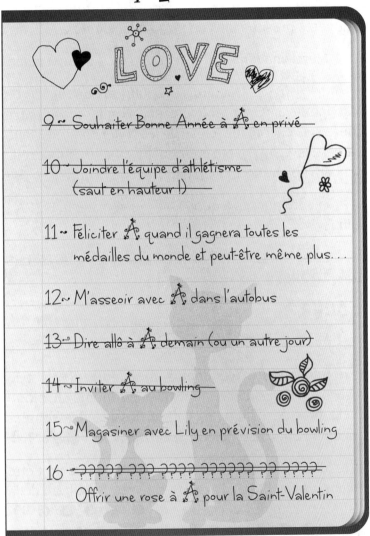

♡ LOVE ♡

9 ~ ~~Souhaiter Bonne Année à 🦒 en privé~~

10 ~ ~~Joindre l'équipe d'athlétisme (saut en hauteur !)~~

11 ~ Féliciter 🦒 quand il gagnera toutes les médailles du monde et peut-être même plus...

12 ~ M'asseoir avec 🦒 dans l'autobus

13 ~ ~~Dire allô à 🦒 demain (ou un autre jour)~~

14 ~ ~~Inviter 🦒 au bowling~~

15 ~ Magasiner avec Lily en prévision du bowling

16 ~ ~~????? ??? ???? ????? ?? ????~~
Offrir une rose à 🦒 pour la Saint-Valentin

Message privé dans **Facebook.** Océane ?!? Encore ! Elle m'invite à sa compé de NAGE synchronisée. Le 3 mars. Je peux coucher chez elle la veille. **Ouate de phoque !**

Pourquoi elle m'invite partout ?!? Je ne veux pas aller la voir. Je n'aime pas ça, les compétitions. Je ne suis pas son amie ! Je vais refuser une autre fois. Je devrais peut-être lire mon horoscope. C'est trop BIZARRE, ce qui m'arrive en ce moment.

Amours : L'amour est un champ de bataille. (Cyber-astrologue a écouté le film *13 ans, bientôt 30* ? Je vais me battre avec Antoine au bowling ? *Foule* pas rapport. Une prévision, c'est comme le code de vie. Il faut lire entre les lignes. D'après moi, c'est une autre manière de dire qu'il faut que je prenne ma vie en main !) **Amitiés :** Vous ne jouez pas de jeu, c'est ce qui fait votre charme. **Finances :** N'achetez rien sur Internet. Vous ne le recevriez pas à temps. (**Ouate de phoque !**) **Famille :** Retrouvailles chaleureuses en vue. **Votre chiffre chanceux :** le 3.

Je ne joue pas de jeu ? C'est tellement vrai ! Je suis honnête ! Je sais ce que je veux. Pour Océane, je n'ai pas envie. Elle devient COLLANTE, là. Je sais ce que je dois répondre.

Merci, Océane, mais je ne peux pas. Bonne chance pour la compé. T'es la meilleure, tu vas gagner. À+ Léa

9 FÉVRIER

– Papa (je m'adresse au pro de la bonne santé), j'ai besoin de vitamines pour... As-tu une suggestion ? Je ne sais pas, mais, genre, c'est le mois de février et comme il neige et qu'il fait vraiment trop froid et que ce sera bientôt vendredi et...

Mon père me **REGARDE**, un peu étourdi. (Je le suis moi aussi rien qu'à subir mon cerveau qui génère des idées dans tous les sens, alors lui...) En silence, il se précipite sur le frigo. Sort des oranges et me presse le plus **gros** verre de **jus** que j'ai jamais vu. Je crois que ça va m'aider.

– Papa, penses-tu qu'une fille peut offrir une fleur à un gars à la Saint-Valentin ?

Quelle subtilité, Léa. Bon, j'ai besoin de savoir rapidement. J'ai besoin de l'avis d'un gars. (Je connais déjà celui de ma mère... Féministe un jour, féministe toujours !) Pas de temps à perdre. En plus, c'est un ancien adolescent. Il doit être au courant. En pensant ça, je le regarde attentivement. Trop dur d'imaginer que cet être humain a **déjà** été un ado. En tout cas, l'ado qu'il a **peut-être** été est vraiment loin... Un genre de doute m'agace tout à coup. Comme un maringouin qui TOURNE autour de notre tête QUAND ON ESSAIE DE DORMIR, genre.

– Bois ton jus, Léa, les vitamines se détériorent tellement vite à l'air libre ! Euh, c'est quand, la Saint-Valentin ? (J'ai certainement fait mon air *exaspéro-découragé.* Il a changé de sujet.) Bon. Veux-tu des -**ô**- -**ê**- -**û**- -**î**- -**ŝ**- brouillés avec ton jus ? (C'est une bonne idée, ce changement de sujet. Il est futé, mon papa. Je note cette stratégie qui peut m'être utile un jour.)

J'aime mon père parce qu'il ne parle pas beaucoup mais ce qu'il dit est toujours clair. C'est une qualité, je pense. Pourquoi je ne suis pas comme ça, moi ? Peut-être qu'on a un stock d'idées claires dans un CÔIN de notre cerveau et quand on parle trop, il s'épuise et là, on doit piger dans les idées confuses. À méditer, Léa. Ouais, il est assez perdu aussi. Ça, c'est un genre de défaut. Je ne suis pas comme ça, hein ? Ne répondez surtout pas.

Cours de sciences. Au programme, les leviers. Tellement palpitant. Je n'ai jamais pensé à devenir ingénieur. Et toute cette théorie ARCHI-somnifère m'a convaincue que je me connais *foule* bien. (Ma liste des métiers-à-ne-pas-faire-sous-peine-de-mourir-d'ennui s'allonge à vue d'œil.)

Un autre projet : CONSTRUIRE une catapulte qui lancera une guimauve sur une cible. En équipe avec Lily, bien entendu, parce que, rappelez-vous, au début de l'année, monsieur Sourire nous a dit que notre partenaire de labo, c'était pour toute l'année scolaire et peut-être même après. C'est une bonne chose, on pourra s'exercer dans mon sous-sol MITEUX mais chaleureux.

P.-S. La CIBLE, c'est le prof. Super motivant !!!

11 FÉVRIER

Lily ne va pas au chalet de son oncle, ce week-end. Je sais pas trop pour quelle raison. On en a profité pour écouter le film *Secrétariat* chez moi. L'histoire d'un cheval de **PURPUR**. Moi, j'aime pas beaucoup les films qui mettent en vedette des **ANIMAUX** parce que la vedette meurt tout le temps à la fin et moi, je pleure. J'ai eu peur pendant tout le film que Secrétariat meure pour apprendre qu'il ne meurt pas finalement et même que ses descendants vivent près de Montréal.

J'en ai profité pour demander à Lily si ça dérange Sabine, son **AMITIÉ** avec *Bieber*. Elle m'a répondu, et je cite : *Ge penche pas !* (Elle **MANGEAIT** devinez quoi ?) Elle m'a demandé si *cha* dérangeait Guillaume que *ge chorte* avec **Antoine**. Puis elle m'a *ka-CHÉÉÉE* ![11] Tout *cha*, en mâchouillant des *framboijes chuédoijes*.

Lily m'a vraiment cassée ! Ça m'apprendra à poser des questions **NULLISSIMES**.

Demain après-midi, on va magasiner. J'ai trop hâte !

---

11. Vous vous rappelez Brice de Nice ? Lily a capoté sur lui pendant plusieurs mois. Parfois, le Brice de Nice en elle refait surface. De moins en moins souvent. Un jour, il ne la hantera plus. Ce sera un triste jour.

12 FÉVRIER

Nous sommes au centre commercial, dans une boutique qui s'est déguisée pour la Saint-Valentin. Nous n'aurions pas dû nous moquer d'un angelot suspendu au plafond qui tire des FLÈCHES partout. Une vendeuse nous a repérées grâce à son radar-à-ados-DANGEREUX.

– Tu cherches quelque chose pour la Saint-Valentin ? me lance la trop dynamique vendeuse.

– Non, je cherche quelque chose de beau !

Lily me tire vers les chandails en riant. Elle en a vu un qui m'irait *foule* bien ! Il serait parfait pour le , d'après Lily. L'objet de son excitation extrême est blanc. Quatre immenses lettres roses avec des brillants sont disposées sur deux lignes :

**LO
VE**

Lily me force à l'essayer et à déambuler dans la boutique en adoptant la *mannequin attitude* comme disent les Français. Génial. Je m'imagine au bowling ! L'enfer !

Je demande à Lily :

– Tu penses qu'il me fait vraiment bien ?

Je fais semblant de douter. Je veux qu'elle le dise encore, qu'il est super beau. Je le vois bien. Sauf que... Ma poitrine n'a pas pris beaucoup de volume...

– Je pense pas ! **Je sais** ! Avec tes jeans, c'est top !

Nous sommes assises près de la **FONTAINE** aux mille souhaits. Lily grignote des bonbons achetés chez le confiseur. De la réglisse au **melon** d'eau. (**Beurk !**) Des *jelly beans* à la barbe à papa. (Pas super après la réglisse au melon d'eau !) Et des bretzels trempés dans le yogourt aux cerises. (Un choix plus que désastreux !) Moi, je regarde mon chandail LOVE et je rêve.

Je lance quelques sous noirs dans la fontaine en pensant à *Antoine*.

– Léa, sais-tu ce que j'ai fait après le film hier soir ? J'ai niaisé sur MSN jusqu'à minuit avec *Bieber*. On a tellement ri. Il m'a raconté que Sabine veut lui apprendre à faire du scrapbooking. Tu l'imagines, toi ?

– NOOON ! Mais ta mère. Elle ne dit rien à propos de MSN ?

– J'ai un truc, ma chou. Je ne *coule* plus de tests. Si elle n'a pas de raison de s'inquiéter, *no problema*. Pourquoi tu viens pas jaser avec nous ?

– MSN ? **OhMonDieu !** C'est contre la religion de ma mère. Avec elle, c'est le téléphone, les lettres – tu la connais ! – et les courriels, quand elle n'oublie pas d'y répondre !

– En tout cas, tu le connaîtrais mieux, conclut Lily en me tendant des *jelly beans*.

Je suis dans ma chambre. Je regarde mon **CHANDAIL** tout neuf. Je rature le point 15 sur ma **A-Liste**.

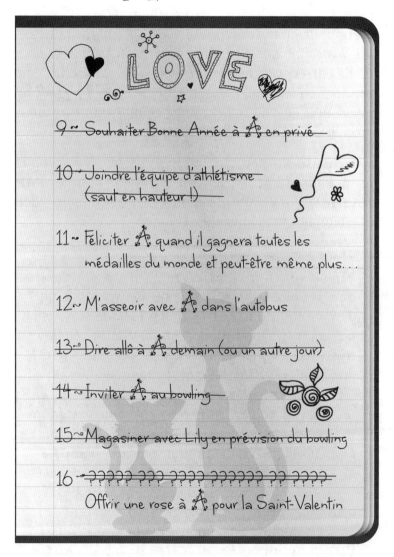

♥ LOVE ♥

~~9 ~ Souhaiter Bonne Année à A en privé~~

~~10 ~ Joindre l'équipe d'athlétisme (saut en hauteur !)~~

11 ~ Féliciter A quand il gagnera toutes les médailles du monde et peut-être même plus...

12 ~ M'asseoir avec A dans l'autobus

~~13 ~ Dire allô à A demain (ou un autre jour)~~

~~14 ~ Inviter A au bowling~~

~~15 ~ Magasiner avec Lily en prévision du bowling~~

~~16 ~ ????? ??? ???? ?????? ?? ????~~
Offrir une rose à A pour la Saint-Valentin

Veille de la Saint-Valentin. Je veux dormir mais je veux pas faire de cauchemars. La Reine de cœur pourrait me confondre avec Alice et me poursuivre avec une rose géante pour me trancher la tête. (Oui, j'ai écouté le film ce soir !) Je vais crier, me réveiller en sursaut, peut-être même en **SUEUR** et ensuite, je vais me tourner et me retourner dans mon lit comme une **TOUPIE**.

Je niaise un peu sur Internet, ça va m'épuiser et je m'endormirai facilement ensuite. J'arrive **PAR HASARD** sur le site de mon cyber-astrologue. Rien que cinq minutes, pas plus. Promis.

Amours : Il y a plus de plaisir à donner qu'à recevoir. (**QUOI ?** Je ne recevrai donc rien demain ! Surtout, ne pas rougir lorsque le livreur ne nommera pas mon nom. Grâce et dignité.) **Amitiés :** Il y a du changement dans l'air. (C'est donc vrai. Lily a un *BFF* gars depuis quelques jours. C'est tout un changement, ça !) **Finances :** Des sorties de fonds imprévues ? Pas de panique, il y a plein d'aubaines à saisir. (Ouiiiiiiiii ! Mon mirifique chandail était soldé !) **Famille :** Si vous faites partie d'une famille reconstituée, les jours qui viennent seront difficiles. Courage. Après la pluie, le beau temps ! (C'est profond comme prédiction. Encourageant, aussi ! **Ouate de phoque au carré !**) **Votre chiffre chanceux :** le 1.

Je peux me coucher sans crainte. Rien ne va changer pendant la **nuit**. **O**UPS, la cote du week-end.

Cote du week-end : 8/10. Le film *Secrétariat* avec Lily ♥♥♥♥♥♥♥♥. La prévision de l'astrologue ☺☺☺☺. Mon super chandail LOVE ♥♥♥♥♥♥.

Il est 23 h 03. Je n'aurai pas les yeux trop cernés, demain. Dors, Léa !

14 FÉVRIER

Je suis dans l'autobus. Je porte un collant rouge. Avec une jupe verte. Je sais, ça fait plus Joyeux Noël que Bonne Saint-Valentin. Mais comme je n'avais pas de « **PARURE** de tête » convenable (faux ! J'ai retrouvé mes cornes de diable dans le fond de mon coffre de **déguisements** d'Halloween mais j'ai pensé que ce n'était pas très concept.), il a fallu que j'improvise.

Lily a été plus originale que moi (quelle surprise !), elle s'est **bricolé** un bracelet avec des framboises suédoises. Son défi ? Ne pas grignoter son déguisement d'ici la fin de la journée. La barre est haute !

Je lui ai fait part de la prédiction de notre astrologue. Elle a éclaté de rire. Franchement ! Y a rien de drôle là-dedans. Le cou de **PVP** s'est étiré comme un périscope sortant de l'eau. Son radar-chercheur-de-personnes-affamées-de-conseils-judicieux semble to-ta-le-ment fonctionnel en trois secondes. Il m'épate.

Je n'ai pas vraiment hâte d'entrer dans l'école, d'aller à ma case qui est **VOISINE** du radar-chercheur-de-personnes-affamées-de-conseils-judicieux, de m'asseoir dans ma classe, de lire le mémo de la vie étudiante. Si je ne reçois pas de **ROSE**, qu'est-ce que je fais ?

– Philippe, si ta blonde était ici, t'aurais pu lui offrir une rose, dit Lily pour jaser.

PVP bégaie en rougissant. (Je le savais ! Sa blonde étudie à la même école privée que la fée des **DENTS**.) Il **VERROUILLE** sa case puis nous demande, d'un ton moins sévère que d'habitude :

– Les filles, je voulais vous demander. Heuuu, je vois bien que je tombe parfois sur les nerfs des autres. (Ne sois pas modeste, **PVP**. Pas des fois. **TOUT LE TEMPS !**) Qu'est-ce que je peux faire pour changer ça ?

– **Sois toi-même**, avons-nous répondu en même temps.

Lily et moi, on s'est regardées. On a éclaté de rire. On a joint nos petits doigts ensemble et on a crié **Pinkie !!!** au désespoir de **PVP** qui nous a lancé, découragé :

– On ne peut jamais parler sérieusement quand vous êtes ensemble. C'est vraiment **moche** !

Nous avons éclaté de rire (bis). Le-jour-de-la-rose commence mieux que je pensais.

Pas déjà. Le livreur entre dans la classe avec un gros **bouquet**. J'ai mal au cœur. Le silence s'est abattu sur nous. Le prof d'histoire aimerait connaître le truc du livreur, c'est évident. (Notre prof porte un gros nœud papillon rouge à **pois** blancs, c'est vraiment beau. Il y a de l'espoir.) Tout le monde attend.

– **Léa Beaugrand ?**

C'est bien mon nom que le livreur a prononcé ? Ne rougis pas, Léa. Ne rougis surtout pas. Lily, cesse de **SECOUER** ton bracelet dans les airs. Je regarde **Océane** pour ne pas éclater de rire. Elle me sourit. Je l'ai mal jugée.

– Par ici, c'est moi !

Ouvrir l'enveloppe. Y glisser un coup d'œil. Rapide mais vif. **C'est luiii !!!!!!!** Il m'a envoyé une rose. Je ne serai pas sans rapport. Je ne vous l'ai pas dit, mais j'ai envoyé une rose à **Antoine**. J'ai suivi le conseil de Lulu parce que...

Quoi ?!? Lily en a reçu **trois** ? Wow ! De qui ? Elle ne mime rien. Elle s'est peut-être piquée sur une **épine** empoisonnée comme la Belle au bois dormant. C'est si romantiiique !!! Attendre l'heure du midi pour savoir, ça va être trop **loooong**.

Pour passer le temps, le prof nous raconte la **TURBULENTE** aventure des Incas et de Cortez qui les a massacrés. Le prof en profite pour nous annoncer subtilement – quel hypocrite ! – la tenue d'un débat sur ce sujet trop captivant. **QUOI ?** Je dé-tes-te les débats. Je suis incapable de répondre ce qu'il faut, quand il le faut. Dans la vie, personne ne me donne de note. Alors qu'un débat... **Ouate de phoque !**

Au fait, qu'est-ce que **LULU** a dit pour me pousser à agir ? Elle m'a répété que je devais prendre les devants (ma mère a une mauvaise influence sur elle !) et qu'une **ROSE**, *c'est pas une insulte. C'est gentil, ça, donner une fleur à quelqu'un. Tu m'en donneras des nouvelles, ma Léa.* J'ai bien fait de suivre son conseil. J'aurais eu l'air trop **FOU** (folle ? Folle ! Ah ! Je sais plus. Mon truc sonore ne fonctionne pas aujourd'hui ! J'ai éteint mon radar grammatical !).

L'astrologue s'est trompé. C'est très plaisant, recevoir quelque chose.

Lily a reçu une rose de la part de Benjamin. **Notre** Benjamin. Au nom de leur amitié **COSMIQUE**. Les autres ? L'une de « **Ton** *BFF* ». L'autre ? **Un admirateur inconnu.** Ça, c'est vraiment intrigant. En se dirigeant vers la café, on dévisage tous les gars afin d'identifier ceux qui ont l'air plus inconnus que d'habitude et qui pourraient admirer Lily en **CACHETTE**.

PVP, qui a fait un sourire *foule* éclatant à Lily en sortant de la classe ? Je n'ose même pas y penser ! Guillaume ? (Ça pourrait être Guillaume. **Mouais...** il a l'air de l'apprécier VRAIMENT BEAUCOUP. Mon premier choix.)

– Lily, moi, je dis que c'est Guillaume. Déjà, à la danse...

– Léa, je suis contente pour toi ! Tu le mérites. T'as reçu **trois** roses, Lily ? C'est qui, ton admirateur inconnu ? Le sais-tu ? interroge Océane qui s'est matérialisée à nos côtés comme un sorti d'une boîte à surprise.

– Océane, franchement, « inconnu », ça veut dire qu'on le connaît pas.

OK. C'est sorti tout seul. Pour une fois que je dis la bonne chose au bon moment, il a fallu que ça **tombe** sur **Océane**... Est-ce que je devrais m'excuser ? Ma réponse était trop bête ? Elle est correcte **avec moi**, Océane. C'est sa faute aussi. Sa question est vraiment nulle.

– Je me demande bien qui c'est, ton « mystérieux » inconnu ?

Elle ne lâche pas le **MORCEAU** ! On fait semblant qu'on a pas compris.

– Si je te connaissais pas aussi bien, je dirais que c'est toi. Mais t'es pas désespérée à ce point-là, hein, Lily ? Aglaé, garde-moi une place dans la file, ma *bellaaa* !

Lily a les yeux ronds comme des **BILLES**.
Elle ne répond rien. Moi aussi, je suis sans voix. (J'ai vraiment raison d'être inquiète pour le débat sur les Incas.) Quelle sorcière ! Cette insinuation très méchante est vraiment pas rapport !

Antoine attend devant sa case. Je fais un signe secret mais discret à Lily et je ralentis le pas. Il me **SOURIT** et je fais comme lui.

– Merci, Antoine. Ça m'a fait plaisir, tu sais, la rose.

– Toi aussi, tu m'as fait plaisir. Je voul...

– Les jeunes, on ne traîne pas dans le corridor. Pas le jour du shish taouk, en tout cas. Ouste, à la cafétéria !

BRISE-BOIS s'est deguisée en briga-dière comique, ce midi. **Ouste !** Antoine et moi, on a éclaté de rire. Ous-te. C'est tellement nul, cette expression. Remarquez, je préfère ça à *Distance et discrétion*. C'est moins humiliant, surtout le jour de la Saint-Valentin.

Nous sommes arrivés à NOTRE table. On se tenait **PRESQUE** la main, mais le souvenir de Sabine et de Jérémie nous a arrêtés. Que fait **Océane** à NOTRE table ?!?? Elle aurait pu rejoindre Aglaé à la sienne. Juré, nous aurions tous survécu à son absence. On aurait fait des efforts, en tout cas.

– Lily ! Merci pour la rose.

Jérémie est trop subtil. C'est un gars, remarquez. Il ne **VOIT** même pas que Sabine est très en colère. Je la comprends pas. Lily et Jérémie sont **amis**. *BFF*

94

même ! Guillaume ne m'en veut pas, lui ! Jérémie et Lily ont le droit d'être amis. C'est plate pour Sabine, mais si elle comprend pas ça, le futur ne sera pas très rose. OUPS. Jeu de mots involontaire.

Ma rose est sur ma table de chevet, dans le plus beau vase de cristal qu'on possède ici. (OK. On n'en a rien qu'un. Mais il est vraiment beau.) La petite carte est enfouie dans le fond de ma boîte à secrets.

Une vieille boîte de  recyclée qui sent bon le beurre et le chocolat, je trouve que c'est une excellente cachette. Je l'ai lue au moins mille fois, cette petite carte. Je l'ai frottée sur mon cœur. Quand même, il l'a touchée. Je crois que j'ai usé les MOTS à force de les lire. Quand je les regarde attentivement, ils ont l'air d'avoir pâli. C'est privé, je ne dirai à personne ce qu'il m'a écrit. Mais c'était trèèès gentil. Je vous comprendrais si vous étiez frustrés, parce que c'est VRAIMENT un très beau mot. *Blink !*

Mamounette est revenue de NYC. Enfin ! Sa présence devrait nous réjouir. Mais quelque chose cloche. C'est mon père. Il n'est pas dans son assiette. (Quelle expression pas rapport. Autre preuve que les adultes sont déconnectés de la vraie vie.) **Mon père boude !** Je n'ai pas beaucoup d'expérience dans les affaires de cœur, mais un adulte qui BOUDE le soir de la

Saint-Valentin, c'est mauvais signe, je dirais. Ouvre l'œil, Léa, si tu ne veux pas faire partie d'une famille reconstituée qui fonctionnera tout **croche** et qui vivra des moments difficiles au cours des prochains mois avant que tout revienne à la normale. Je n'invente rien. Mon **ASTROLOGUE** m'a prévenue. Je suis prudente.

J'ai raconté la journée de la **ROSE** à ma mère. **OhMonDieu !** Elle n'a pas cessé de proclamer sa fierté. J'ai pris ma vie en main, il faut que les femmes... **Blablabla.** Toujours le même discours.

Si je peux me permettre de **DONNER**  un conseil à ma mamounette chérie, il semble urgent qu'elle prenne **sa** propre vie en main parce qu'avec son amoureux, disons que ça pourrait aller mieux. Personne ne m'a rien dit. **É-VI-DEM-MENT.** Mais ça se sent, ces choses-là. Même sans être *extra-lucide*... Alors, moi qui ai le don de double vue, faut pas essayer de m'en passer. Ouvre les deux yeux, Léa, ce serait mieux qu'un seul. (L'amour stimule mon humour.)

♥ 💀 ♥

Je suis dans ma chambre. Je me suis bouché les oreilles avec de grosses **OUATES** que j'ai trouvées dans les bouteilles de pilules de Lulu. Je ne veux pas savoir si mes parents se parlent ou s'ils jouent aux rois du silence. J'ai une vie, **moi**, et il faut que je m'en occupe. Je dois penser à ma **A-Liste**. Où est mon stylo rose tout **choupinet** ???

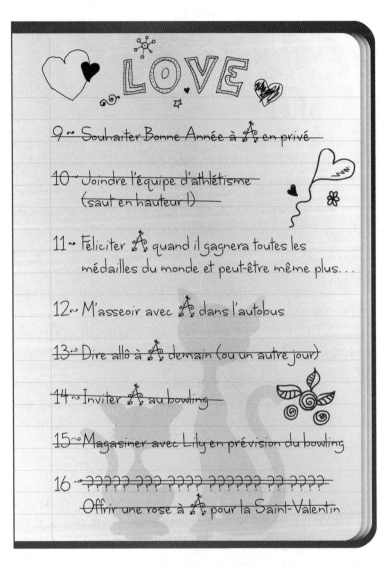

LOVE

9 ~ ~~Souhaiter Bonne Année à A en privé~~

10 ~ ~~Joindre l'équipe d'athlétisme~~
~~(saut en hauteur !)~~

11 ~ Féliciter A quand il gagnera toutes les
médailles du monde et peut-être même plus...

12 ~ M'asseoir avec A dans l'autobus

13 ~ ~~Dire allô à A demain (ou un autre jour)~~

14 ~ ~~Inviter A au bowling~~

15 ~ ~~Magasiner avec Lily en prévision du bowling~~

16 ~ ~~????? ??? ???? ?????? ?? ????~~
~~Offrir une rose à A pour la Saint-Valentin~~

Bon, quand j'aurai le temps, il faudra que je trouve
d'autres idées tout aussi **LUMINEUSES**
que celle-là. Pour que ma A-Liste ne se sente pas
abandonnée...

15 FÉVRIER

Au retour de l'école. Ma mère est encore ici. Ça tombe **SUPER** bien.

– Maman, penses-tu qu'une fille peut être amie avec un gars même s'il a une petite amie ? Je veux dire vraiment amie. Comme *BFF*, genre.

– C'est certain ! Mes meilleurs amis sont des hommes. Pourquoi me demandes-tu ça ?

– Pour rien...

À ne pas oublier, Léa : rapporter cette conversation à Lily qui pourrait rire de toi mais qui sera rassurée tout de même de connaître l'**OPinion** de ta féministe de mère qui connaît la vie !

– Pour rien ?!? Léa, j'ai oublié de te dire. Ton cours de danse est annulé, ce soir. Le prof est en vacances dans le Sud. Il fait dire de pratiquer votre chorégraphie. D'après ce que j'ai compris, vous en auriez bien besoin.

– ...

Je ne réponds rien... Je ne pense pas à ma choré-graphie en ce moment ! En plus, je m'exerce tous les soirs devant un miroir de poche (pas très efficace pour voir ses erreurs) et je suis tout de même très bonne. Mon **PROF** me l'a dit devant toutes les filles et Laurie n'a pas beaucoup apprécié sa remarque. Il la complimenterait aussi si elle n'avait pas toujours un temps de retard sur nous toutes !

À : Lily43@gmail.com
De : Lea.sec2@gmail.com
Objet : Un *BFF* gars

Les meilleurs amis de ma mère sont des hommes. Donc, un *BFF* gars, ça se peut. Juste pour t'informer...

Ta chou

16 FÉVRIER

Demain, j'ai une pratique d'athlétisme avec mon valentin. Avec les autres aussi. La compétition se rapproche. Je ne veux **SURTOUT** pas faire honte à ma **belle** école en fonçant dans la barre au premier essai. Pas devant mon valentin et tous les MEILLEURS athlètes de la région. Lily affirme que mon objectif est tout à fait autre (elle se met à parler comme ma mère !!!!!!!!). D'oublier la barre. Que ça devrait être le dernier de mes soucis, la barre. À méditer : Quel est ton objectif dans la vie, Léa ?

Résultat de ma méditation (Je sais, je médite vite.) : passer une journée avec mon valentin sans être épiée par Geoffrion ou Brisebois ou **PVP** ou... Ne pas me ridiculiser devant les super athlètes de l'école secondaire Saint-Laurent aussi.

Même si Lily m'a *ka-chéée* à propos de l'**amitié** entre un gars et une fille, elle était contente que ma mère l'approuve (sans le savoir, ma mère approuve Lily).

Je suis à ma case, je cherche mon cahier de math. Je me retourne en **sursaut**. (J'ai senti une présence. Mon *extralucidité* ne cesse de se développer.) Océane est là. Qu'est-ce qu'elle me veut encore ?

– Léa, il faut que je te dise quelque chose. C'est à propos de Lily, déclare tristement Océane.

Je réponds en me penchant pour ramasser la règle que j'ai laissée **TOMBER** par terre.

– Lily ??? Qu'est-ce qui se passe ?

– Elle parlait avec Jérémie. Elle semblait dire que t'es jalouse d'elle.

– Jalouse ? ai-je répondu, étonnée. Explique-toi !

– C'était pas vraiment clair, mais si j'ai bien compris, c'est à cause des trois **roses** qu'elle a reçues. Toi, tu en as eu juste une, donc... C'est plate. Je la pensais pas comme ça. En tout cas, j'ai cru que tu voudrais le savoir ! Merde pour le test d'espagnol ! conclut **Océane** en me donnant une tape amicale sur l'épaule.

Lily ? Elle parle dans mon dos avec son nouveau *BFF* ? Je peux pas **croire**. **Ma** *BFF* ! Me faire ça à **moi** ? J'entre dans le local. Lily me parle. Moi, je souris sans répondre. Moi ? **JALOUSE !** N'importe quoi !

. Dans le bus, je n'ai pas beaucoup parlé à Lily qui **Jacasse** et me donne des tapes sur l'épaule. Est-ce qu'elle a vraiment fait ça ? J'aimerais demander conseil à quelqu'un d'éclairé parce que mon coach de vie est trop nul ! Je me sens **tellement** mal. Maman est repartie à NYC. Mon père ? Très incompétent en histoires de filles. Il reste Lulu. Lulu ? Lulu ! C'est une fille... trèèèès expérimentée !

Je résume la situation à **LULU**. Elle m'a regardée attentivement, sans dire un mot. Puis elle m'a demandé si ça ressemblait à la Lily que je connais. J'ai dit NON ! Puis si c'était possible qu'Océane ait inventé cette histoire pour *mettre la chicane.* **Euuuh** ! Pourquoi elle ferait ça ? « Parce que ! » a répondu Lulu. Finalement, elle croit que je devrais en parler à Lily, quand je serai **CALME**.

Lulu a sans doute raison. Je ferai ça demain !

17 FÉVRIER

Nous sommes devant notre case. **PVP** est là, à l'affût de la moindre parole qui sortira de ma bouche pour me donner un de ses **conseils** légendaires.

– Lily, je vais aux toilettes. (La déception sur le visage de **PVP** ! Désolée, ce que j'ai à dire ne te concerne pas !) Tu viens ?

Nous entrons dans notre repaire, en nous assurant que nous sommes **seules**. Lily a l'air déboussolée. Je lui raconte ce qu'**Océane** m'a dit en **soulignant** que je n'en crois pas un mot. J'ai essayé de ne pas parler vite mais les mots se bousculaient sur mes lèvres. J'ai rougi aussi. (**GRRR !**) Lily a la bouche grande ouverte et les yeux ronds. Elle n'en croit pas ses oreilles.

– J'ai jamais dit ça ! Océane ment ! Demande à *Bieber* si tu me crois pas !

– Pas besoin. Mais c'est pour ça que je parlais pas beaucoup, hier.

La porte s'ouvre. Geoffrion fait le guet même à cette heure matinale ? Fatigante !

– Les filles, si vous avez fini, sortez. Ce n'est pas un *Salon étudiant* ici...

J'aurais aimé voir la **FACE** de Geoffrion parce que, pendant qu'elle faisait jouer sa cassette, nous, on se faisait une **ACCOLADE**. Je crois qu'on l'a cassée. Sans le vouloir...

– **Sortez !!!!**

Nous sommes parties au pas de course. Elle nous a répété pour la millionième fois qu'on ne **COURT PAS** dans les corridors. Tout est revenu à la normale.

À : Oceane.therrien@gmail.com
De : Lea.sec2@gmail.com
Objet : Lily

Océane

T'avais tout faux, pour Lily. Elle a **jamais** dit ça.

L.

J'espère qu'elle va nous **ficher** la paix. On lui a rien demandé, nous.

18 FÉVRIER

Après le dîner, réunion avec Lily pour rédiger le cahier des charges de la CATAPULTE bionique. Mon valentin, lui, va jouer au mississipi pour prouver que, malgré ses talents à la course, il n'a rien perdu de ses aptitudes au glisser de la rondelle. (Mardi, il a battu tout le monde à la course.)

En se rendant à la bibli, on a croisé Océane. Elle a rougi en faisant semblant de ne pas nous voir et s'est enfuie vers la salle de bains avec Aglaé-la-papesse-de-ce-qui-est-vraiiiment-*in*-dans-la-vie. On ne **COURT PAS** dans les corridors, *bellaaaaa* !

Aussi, il y a Sabine et Jérémie qui ne se parlent pas beaucoup. Je crois que *la-journée-de-la-rose* a beaucoup affecté Sabine. À moins que ce ne soit parce que Jérémie demande de plus en plus conseil à Lily. Je le comprends. Lily, c'est le meilleur coach de vie de l'école. J'ai eu **PEUR** de la perdre, alors, j'apprécie encore plus.

CONCENTRATION, Léa. Le cahier des charges ne s'écrira pas tout seul.

– Finalement, Lily, c'est TacTac ou Guillaume, ton admirateur inconnu ? ai-je demandé en rangeant mon crayon dans mon étui.

– Je te le dis pas, c'est mon jardin SECRET.

– **Ouate de phooooque !** Tu sais c'est qui !!! **Tu sais c'est qui !!! C'est qui ?!**

– Les filles ! Depuis quand il est permis de crier à tue-tête à la bibliothèque ? Calmez-vous ou sortez ! nous a réprimandées sèchement la bibliothécaire.

– ...

Remplacez ces trois petits **points** par le chant des criquets au mois d'août. Lily ne veut pas parler. Muette comme une ꟼ𝙰ℝ𝙿𝙴 même. (Je sais. Une autre expression tellement pas rapport, sauf à la bibliothèque !)

21 FÉVRIER

Dernière pratique d'athlétisme. Looooong discours de motivation avant la douche. Pour moi, vous êtes déjà des champions ! (**YOUPI !**) Couchez-vous tôt, ce soir, pas de MSN jusqu'à minuit. (Pas de problème, j'ai même pas le droit.) Avant de vous endormir, faites de la visualisation. Si ça a marché pour Alexandre Despatie à Beijing, ça va marcher pour vous à Claude-Robillard. (Alexandre Despatie à la rescousse, je suis d'accord. **Ouate de phoque !** Comment on fait ça, de la visualisation ? Ça donne quoi ? **OUPS.** Concentration, Léa.) Demain matin, mangez bien. Pas d'œufs/bacon/**SAUCISSES**, vous seriez incapables de courir. Ou de sauter. (Elle me regarde. Pourquoi moi ?!?) Des pâtes, c'est plein de glucides. Mangez des pâtes. Apportez des collations énergisantes, des **FRUITS**, des yogourts, des barres tendres, pas de chips au BBQ ! Soyez bons !

Il est (trop) tôt. Je suis étendue sur mon lit. Lily m'a écrit. Elle se voit en train de **TIRER**  du pistolet au bon moment. Et elle voit Sabine trébucher sur les haies. Est-ce qu'on peut visualiser les autres en train de *bêcher* ? **OhMonDieu !** Elle fait de la magie noire, maintenant ?

Je suis toujours étendue sur mon lit qui est toujours dans ma chambre. (Pourquoi serais-je ailleurs ?) Je me représente toutes les étapes. Je me vois à Claude-Robillard. Les sièges jaunes, les matelas bleus, la

PISCINE d'Alexandre Despatie. Non, ça c'est nul parce que je ne plonge pas. J'**efface** la piscine de mon film.

On appelle ma compétition. Je suis calme. Je salue **Antoine**. Je me lève. Je me dirige vers le départ. C'est mon tour. Je prends mon élan, ma jambe d'appel fait ce qu'elle a à faire. Je m'élance, mes bras se positionnent, mon dos est par-fait. La barre est sous moi et je tombe sur le **MATELAS** en faisant pouuuf ! (Je fais un peu de visualisation auditive aussi, je suis certaine que ça va m'aider.)

Mes coéquipiers me félicitent. Je me relève en **CHANCELANT** un peu parce que ce n'est pas facile de marcher avec élégance sur un énorme matelas **MOU**. La voix du juge lance : 1 mètre 59. Je fais la danse de la joie. *Rembobinage ! Action !* Je projette le même clip sur l'écran de mon cerveau au moins cinq fois. Peut-être plus, je me suis endormie à un moment donné et forcément, j'ai arrêté de compter.

22 FÉVRIER

Bilodeau a fait l'appel. Nous avons grogné pour exprimer toute la joie que nous éprouvions à être là, devant l'autobus, les pieds dans la **NEIGE**, le vent nous fouettant le visage pendant que le chauffeur tambouri-nait d'une main impatiente sur le volant.

Antoine est là, Sabine aussi. Lily me fait des signes trop ésotériques. Je ne sais pas ce qu'elle veut mais je lui garderai une place. Je VEUX la place côté fenêtre pour dormir ; je VEUX qu'Antoine s'assoie avec moi.

OhMonDieu ! Si ce que j'ai visualisé m'arrive, ma vie changera du tout au tout. Ça fait *foule* peur. Dans le bon sens.

Ma compé est à 11 h. Celles d'**Antoine** ? Sa première commence. Les gars ont pris place dans leur corridor respectif. Lily pointe son **PISTOLET** vers le plafond, avec beaucoup de sérieux. Ça la change... Elle appuie sur la gâchette ; le pistolet reste muet.

Elle le fixe de ses yeux trop **RONDS** et l'agite un peu. Les gars se replacent, elle tire encore. Toujours rien. Le juge va examiner le pistolet ; apparemment, rien ne cloche. (Si rien ne cloche, il devrait fonctionner. Tellement illogique !) Tout le monde se replace. Lily tire vers le plafond. *Niet.* Exaspéré, le **JUGE** lui tend un sifflet.

Tout le monde reprend sa place. Lily siffle tellement fort que ses joues ont rougi. Les gars ont décollé au quart de tour, je suis debout dans les estrades, je crie comme si le **feu** était pris sous mon siège. **ANTOINE** termine deuxième. Je saute et je crie et je crie et je saute. La journée commence bien.

Il est 10 h 40. Je pousse mon sac sous mon siège. Je me dirige calmement au centre du gymnase.

J'espère que mon t-shirt de *GYM* n'est pas trop grand. À l'école, le style poche-de-patates est encore très *in*, cette année. Ma poitrine-en-devenir a de la difficulté à se faire remarquer quand je porte une **CAMISOLE** ajustée, alors... (Le truc ? J'ai attaché mon t-shirt dans le dos avec un élastique pour qu'il ressemble plus à un t-shirt et moins à un sac de patates. Je fais signe à Antoine. Je m'échauffe avec sérieux. Les filles de Saint-Laurent sont là. *GLOUP !*

Je sautille en essayant de ne pas **PENSER** que je me mesure aux meilleures de la région. La barre est placée à 1,10 m. Je la passe sans problème. La foule m'encourage. Bon départ, Léa.

Maintenant, 1,15 m. En donnant l'élan avec ma super jambe d'appel, je sens que ça va être bon. Quand je m'enfonce mollement dans le matelas, je suis heureuse. La voix qui crie plus fort fait rougir mes joues. *Zut !*

Je passe le 1,20 m sans problème. Miss-Framboises-suédoises est déchaînée. 1,35 m. Troisième essai. Concentration. Ma tête frappe le poteau. Aïe. La barre est tombée et ma *COURSE* vers l'or s'est arrêtée.

J'ai fait 1,30 m. Mieux que dans les pratiques. Mes **SUPPORTERS** sont en feu. Mon entraîneuse est folle comme un balai. (Et ça ressemble à quoi, un *BALAI* fou ?) Je suis deuxième. Bon, la championne de Saint-Laurent se prépare. Je sais qu'elle va me battre.

Quand même, troisième, c'est tellement cool. Je regarde *Antoine* et Lily qui me fait notre signe secret en exécutant une sorte de danse de la pluie. Oh. Mon. Dieu ! J'AI. GAGNÉ. UNE. MÉDAILLE. Elle est là, autour de mon COU. C'est lourd, une médaille. Lily prend des photos d'Antoine et de moi. ENSEMBLE. J'espère que je ne suis pas trop décoiffée ! Notre **première** photo ensemble. (Oui, ça m'arrive de penser à ma coiffure, parfois. Je suis une fiiil-leee !)

Nous sommes assis dans les gradins. Je colle mon épaule contre celle d'Antoine, qui se colle aussi. Lily nous raconte ses tranches de vie. Son histoire est comme une chanson en anglais dont on ne comprend pas toutes les paroles mais qui nous berce quand même.

Antoine devient de plus en plus silencieux à mesure que le 1 200 m masculin approche. Lily aussi se calme. C'est elle, la QUASIMODO[12] du 1 200 m. Je serre doucement le bras d'Antoine en le regardant droit dans les yeux. Je lui chuchote à l'oreille :

– T'es le meilleur.

J'avais raison. Il l'a eue, sa médaille. Je n'ai même pas eu besoin de penser à ma A-Liste pour lui faire un BISOU sur la joue. Avouez, je m'améliore tellement !

---

12. Personnage de *Notre-Dame de Paris*, de Victor Hugo, Quasimodo est le sonneur de cloches de cette cathédrale mythique. En 1996, Disney en a fait un dessin animé : *Le bossu de Notre-Dame*. Trop bon.

Au retour, j'étais encore assise avec Antoine dans le bus. On ne parlait pas beaucoup. Lily mangeait ses dernières framboises pendant que l'autobus se stationnait dans la cour et que les parents s'approchaient lentement.

LULU est folle de JOIE quand j'agite ma médaille sous son nez.

– Lulu, je te présente Antoine, le champion de la journée. Regarde, il a gagné cinq médailles.

– Félicitations, mon beau garçon. Ta mère va être fière de toi.

– Merci, madame. Vous savez, ma mère, elle sait plus où les accrocher, mes médailles !

– Antoine, tu peux l'appeler Lulu. C'est vrai, Lulu, qu'il peut t'appeler Lulu, Antoine ?

– Bien sûr ! Bon, tu dois avoir faim, ma grande. Va chercher Lily et on part. Ça m'a fait plaisir, mon beau garçon. C'est toi, le petit chum de Léa ?

OhMonDieu ! Pourquoi Lulu se prend tout à coup pour Guy A. Lepage ? Lulu ne pose jamais de questions indiscrètes, pourtant. Elle vient d'attraper l'adultite aiguë FOUDROYANTE.

– Oui, madame Lulu, c'est moi, répond Antoine en me souriant.

Ne rougis pas, Léa.

Raté.

Je n'ai pas mangé beaucoup parce que je suis trop fatiguée. Je me suis couchée tôt en pensant à ce qu'**ANTOINE** avait dit à Lulu. C'est le plus beau jour de ma vie. Je **faturerai** plein de choses sur ma **A-Liste** quand je serai reposée.

23 FÉVRIER

Ma mère sera là demain. Une réunion avec son cher Machiavel. Je lui ai parlé de ma médaille. Elle a **CA-PO-TÉ**.

Elle a un compte Facebook ! Nouvelle vraiment incroyable, compte tenu de sa répulsion pour les **technologies** modernes. Elle aimerait être une de mes amies Facebook. Je suis tellement étonnée. Pour la raison énoncée plus haut.

Je ne sais pas... (Je mens tellement mal !) Je vais penser à ça. Bis.

Je pense aussi vite que je médite. Elle va corriger mes fautes de français ? Me laisser des messages *trop bien écrits* que toutes mes amies pourront lire sans comprendre ce qu'elle veut dire et **Antoine** aussi (quand il aura un compte Facebook) ? **OhMonDieu !** IL. N'EN. EST. PAS. QUESTION.

Au lieu de préparer mon débat sur les **méchants** Espagnols qui ont écrabouillé les bons Incas, je mets de l'ordre dans ma A-Liste. *First things first* comme dirait Mrs. Larson, notre toujours CHIC prof d'anglais. En plus, j'ai une nouvelle idée !

LOVE

9 ~ Souhaiter Bonne Année à A en privé

10 ~ Joindre l'équipe d'athlétisme (saut en hauteur !)

11 ~ Féliciter A quand il gagnera toutes les médailles du monde et peut-être même plus...

12 ~ M'asseoir avec A dans l'autobus

13 ~ Dire allô à A demain (ou un autre jour)

14 ~ Inviter A au bowling

15 ~ Magasiner avec Lily en prévision du bowling

16 ~ ????? ??? ???? ?????? ?? ????
Offrir une rose à A pour la Saint-Valentin

Le point 12. Antoine s'est assis avec moi. C'était un super bon point sur ma liste, un de mes points préférés ! J'ai dessiné plein de cœurs autour pour me souvenir de ce moment pétulant de ma (courte) vie. Avouez que c'est beau, une longue liste bien zébrée. Et que ma dernière idée est teeellement cool.

17~ Offrir la photo d'A et de moi à A

24 FÉVRIER

À NOTRE table, il se passe quelque chose d'étrange. Non, pas Antoine et moi. On est cool, nous. C'est Océane. Elle a pas aimé mon courriel ? Parce qu'on a apprécié ses petites **manigances**, nous ?

Elle nous regarde tellement **croche**. Elle ne partage pas notre joie (mais elle reste à NOTRE table ?!?). Lorsque je parle, elle me regarde comme si je vomissais des VERS de terre (**beurk**, désolée pour l'image). Il y a deux jours, elle essayait de me convaincre de notre complicité en m'apprenant que Lily parlait dans mon dos ! Je ne comprends plus rien.

De retour à la maison. LULU a préparé des sablés au CITRON, les biscuits préférés de...

– Maman !!!

Je **CRIE** en lançant mon sac à dos sur un divan :

– Es-tu revenue pour toujours ?

– Léa, j'ai quelque chose à te dire. Je ne sais pas trop comment m'y prendre. Alors, je vais y aller simplement.

Ma. Mère. Faire. Simple ? **OhMonDieu !** C'est une première ! C'est comme essayer de rentrer un **cercle** dans un carré ! Qu'est-ce qu'elle veut me dire de si important ? Elle a l'air tellement sérieuse (sérieux ? Là, c'est vraiment pas le moment !). Il se passe quelque chose, je le sens... Je suis *extralucide*, il m'arrive de l'oublier. *Euuuh*...

– Léa, je ne reviens pas. **(QUOI ?)** Pas tout de suite, en tout cas. (**Ouf !**) Machiavel, pardon, monsieur Gendron m'a demandé d'être correspondante pour le journal à NYC. Pendant au moins neuf mois.

– Tu as accepté ? Papa est d'accord ? (*Oups !* Je n'aurais pas dû dire ça.)

– Jean-Luc ? Il n'est pas enchanté, c'est vrai, mais c'est ma vie, pas la sienne. Je suis libre, je fais ce que je veux...

– **Vous allez divorcer, c'est ça, hein ?** (J'ai *crié* un peu fort.) Tu peux le dire, je suis capable d'en prendre tu sais. Tout le monde divorce, vous serez pas les premiers !

– Léa, mais qu'est-ce que tu dis ? Nous ne divorçons pas ! Ce n'est pas per-ma-nent (elle a prononcé chaque syllabe de ce mot comme si j'étais débile), cette affectation. Et tu viendras passer un long week-end. Je te ferai visi...

– **WHAAAAAAAAAAAAAAAAAAAAAAAAAOUUUU !** (Là, j'ai crié **vraiment fort** !)

J'improvise une **danse** de la joie super endiablée. Je n'ai pas pu me voir mais je sens que mes mouvements ressemblaient davantage aux sauts des ouaouarons qu'on tente d'attraper au **CHALET** de mon oncle Jean-Paul. (Je ne serai jamais chorégraphe. Cette constatation me déçoit un peu !)

Ma mère sourit. Lulu arrive au galop. Mon père ne peut pas galoper, car son bureau est trop **loin** pour qu'il ait entendu quoi que ce soit.

Si je réfléchis sérieusement à la situation, il y a du bon et du moins bon. Pour y voir plus clair, il me faudrait un autre **CARNET**. Je ne peux pas organiser ma vie à l'endos d'une enveloppe d'Hydro Québec quand même.

Le **CAHIER** avec un panda trop mignon que Lulu m'a rapporté de La Malbaie ? **Parfait** ! Ce sera mon cahier *Léa à NYC*.

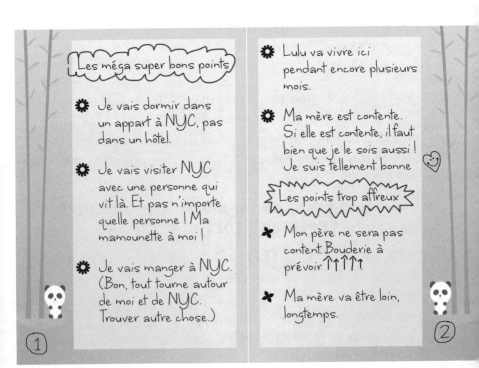

Les méga super bons points

❀ Je vais dormir dans un appart à NYC, pas dans un hôtel.

❀ Je vais visiter NYC avec une personne qui vit là. Et pas n'importe quelle personne ! Ma mamounette à moi !

❀ Je vais manger à NYC. (Bon, tout tourne autour de moi et de NYC. Trouver autre chose.)

❀ Lulu va vivre ici pendant encore plusieurs mois.

❀ Ma mère est contente. Si elle est contente, il faut bien que je le sois aussi ! Je suis tellement bonne

Les points trop affreux

✖ Mon père ne sera pas content. Bouderie à prévoir ↑↑↑↑↑

✖ Ma mère va être loin, longtemps.

① ②

❋ Mes parents vont peut-être divorcer parce que s'ils ne se voient pas, ils vont oublier qu'ils sont bien ensemble et ils vont rencontrer quelqu'un et... (Mais ce sont MES parents. S'ils détricotent leur mariage aussi vite que j'ai créé des liens avec , je ne devrais pas m'inquiéter. Ça ne risque pas de se produire avant la fin de cette décennie.)

③

❋ Qui va m'apprendre le bon-parler français ? Je vais régresser, c'est comme évident, genre !

❋ Je n'ai pas envie d'avoir plus de parents que de cousins. KC ! ~~Je vais leur dire. Je reste dans cette maison. Ils se promèneront de maison en maison eux, s'ils aiment ça, la vie de gitans, moi je ne déménagerai jamais.~~ Ça a un rapport, ce point-là ? Pas certaine...

④

Je suis toujours aussi mêlée. J'ai même versé quelques larmes quand maman est montée dans son ▓▓▓▓. Mon père n'a pas pu aller la déposer à l'aéroport. Il devait être avec un client super méga important. Je le souhaite, en tout cas. Sinon, je devrai revoir toute ma théorie sur le détricotage.

Mon père a avantage à ne **jamais** me faire **UN SEUL** commentaire au sujet de la **BOUDERIE** si je boude un jour. Mais je ne boude pas souvent, moi, je préfère le **claquage** de portes – ça défoule vraiment mieux. Franchement, il est assez immature pour un adulte.

Est-ce que je devrais ajouter ma mère à mes  Facebook ? Pense pas. Ce serait comme installer le logiciel Antidote[13] sur mon compte.

♥ 💀 ♥

À méditer pour demain matin. Dois-je annoncer cette nouvelle à Lily ? Pas nécessaire. C'est une affectation TEM-PO-RAI-RE. (Au besoin, consulter le  Lafrousse pour plus de précisions sur le sens de ce mot tellement mystérieux.) Ma mère va revenir à la fin de l'année. Ils ne sont pas séparés. Ils ne **DIVORCENT** pas. Ma mère travaille. C'est mal, travailler ? **Travailler à NYC ?** C'est pas mal, c'est la chose la plus mirifique qui puisse arriver à un être humain et c'est arrivé à MA mère. En plus, si elle avait dit non à Machiavel Gendron, il lui en aurait voulu et le lui aurait fait payer pour le reste de ses jours. Et certainement après. Il ne « s'appelle pas » **Machiavel** pour rien.

♥ 💀 ♥

Mon oreiller est chaud. Mou et chaud. Je le retourne et, pas de chance, il est aussi *mou* et aussi chaud de l'autre côté. JE N'ARRIVE PAS À DORMIR ! Si je mettais l' dans le congélateur dix minutes, ça l'aiderait, non ?

♥ 💀 ♥

Non.

---

13. Logiciel de correction de texte. Je ne dis pas qu'il est inutile. Juste pas rapport dans Facebook.

Résultat de ma turbo méditation. Lily est ma *BFF*. Je dois lui dire tout à l'heure. Pour ma mère ! Parce que c'est une super nouvelle. **NYC.** Zut. Mon RÉVEIL scande 3 : 40. Je vais avoir les yeux cernés. ZUT à la puissance 33 ! (C'est un beau nombre, 33 !)

26 FÉVRIER

– Ce midi, c'est LE tournoi de mississipi. Venez encourager les élèves de secondaire deux qui vont défendre notre honneur. (Clap ! Clap !)

Lily m'adresse des SIGNES désespérés. Le prof de sciences a vraiment l'air excédé.

– Lily, tu participes au tournoi de mississipi ? Il y a quelque chose que tu veux partager avec nous ? Allez, vas-y, exprime-toi ! déclare-t-il d'un ton tellement déprimé. (La relâche va lui faire du bien.)

– C'est correct. J'avais des fourmis dans les bras, monsieur...

Éclat de rire généralisé. Même **PVP** a souri ! J'en profite pour me précipiter à ma place parce que mes joues trop **nulles** ont rougi. J'ai pensé à Antoine en parlant du mississipi.

À NOTRE table. Martin, Jérémie et Sabine, Guillaume et ANTOINE n'ont pas mangé. Ils se sont rendus directement à l'agora. Dès que j'aurai terminé, j'irai les rejoindre. Avec Lily, c'est certain. Il faut encourager les plus grands sportifs de notre école. QUOI ? Le mississipi, c'est un sport. Hein ? Océane et Aglaé sont ici. Ouate de phoque ! Qu'est-ce qui se passe encore ?

– Tu viens voir le mississipi avec nous, Océane ? dis-je en ignorant l'air *dédaigno-chic* de la Papesse-de-ce-qui-est-vraiiiment-*in*-dans-la-vie, qui colle à Océane comme une GOMME abandonnée sur l'asphalte s'agrippe à la semelle de nos *gougounes* un jour de canicule. (Je note mentalement que si Aglaé est ici, c'est que le mississipi est *out*.)

– Faut que je te dise quelque chose avant, Léa.

– Dépêche-toi, on va tout manquer, me rappelle Lily, en sautillant.

Océane lui fait de l'ATTITUDE. Elle déteste vraiment Lily.

– Léa, je t'ai fait un beau cadeau à Noël pour que tu sois mon amie. (C'était pas un ÉCHANGE que TU as organisé ?) Je t'ai invitée chez moi ! Je t'ai invitée à ma compétition !

Et...

– T'aurais pu me dire que ta mère restait à NYC. (La prochaine fois, je te *twitterai* ça !) Je t'ai entendue CHUCHOTER avec Lily, hier. (Elle nous espionnait dans les TOILETTES ??? **C'est en dessous de tout !**)

Et le lien entre ma mère et Océane ? Vraiment **pas rapport**.

– Ben, si elle te l'a pas dit, c'est parce que c'est pas de tes affaires ! crie Lily. T'oublies ce que t'as bavassé contre moi ! C'est drôle, *Bieber* se souvient pas que j'ai parlé dans le dos de Léa, lui ! Tu réponds quoi à ça ? lance Lily, en croisant les bras.

– Pensez-vous que je vois rien ? a continué Océane. Lily, c'est évident que tu veux sortir avec Jérémie ! Tu te fiches de Sabine ! Toi, Léa, tu vois jamais rien. T'es tellement naïve...

– Moi ! Naïve ???

Je ne trouve rien d'autre à répondre. J'ai certainement l'air troublé. (Troublée ? Pffe... Je ne sais vraiment pas ! Et pour l'instant, j'ai d'autres chats à FOUETTER. Encore une expression pas rapport. Léa, concentration !)

– Tu vois pas ce qui se passe, hein ? (Tu viens juste de le dire, me semble. Pas nécessaire d'insister.) Ta mère reste à NYC... (C'est ce qu'elle m'a dit.) As-tu pensé qu'elle va peut-être demander le divorce ? De toute façon, **ils divorcent tous !** conclut Océane, un sanglot dans la voix, tandis qu'Aglaé approuve en hochant la tête, comme une *bobble head* survoltée.

J'ai juste envie de lui saisir la tête pour que cesse ce mouvement **SACCADÉ**, qui me tape royalement sur les nerfs.

– Océane, tu comprends rien à l'amitié. Fais de l'air ! grogne Lily, en mangeant ses dernières framboises.

Océane veut que je lui fasse des confidences au sujet de mes parents ???? Elle n'est même pas mon amie ! Pourquoi elle a failli pleurer (trop **LOUCHE**) quand elle a parlé du divorce imaginaire de mes parents ? Et pourquoi je devrais empêcher Lily d'être amie avec Jérémie ? Ça ne me regarde juste pas !

Lily tire sur ma manche de toutes ses forces. Je marche derrière elle comme un **ROBOT**. Quand elle pousse la porte de la salle de bains, je la suis. Sans poser de questions.

– Lily, c'était quoi, ça ?

– Du délire, Léa.

– ... Lily, me trouves-tu naïve ?

– Léa, Océane est **FOLLE** ! Si elle avait un *BFF* gars, elle comprendrait. Comprends-tu pourquoi elle trippe à ce point-là sur Aglaé ?

En se lavant les mains, Lily dodeline de la tête comme Aglaé-la-papesse-de-ce-qui-est-vraiiiment-*in*-dans-la-vie. Je **pouffe** de rire. Lily aussi. On ne peut pas s'arrêter. Geoffrion ouvre la porte pour répéter la phrase fétiche qu'elle radote tous les midis depuis le début de l'année en étant convaincue de sa **COOLITUDE**. Nous rions encore plus.

Elle nous demande de sortir, c'est encore **pire**. Je ne sais pas comment on va faire pour terminer la journée.

Je suis dans le bus. Je ne ris plus (enfin !), je réfléchis. Lily aussi.

comprend que quelque chose s'est produit. Je dois avoir l'air BIZARRE. Elle dépose sa main ridée sur ma tête et se contente de me sourire avec chaleur. Puis elle retourne dans la cuisine. Il y a une tarte aux **pommes** dans le four. Malgré le choc nerveux, j'ai faim. C'est bon signe.

Résumé de ce qui est arrivé dans ma vie au cours des derniers jours :

☠ On m'a espionnée pendant que j'étais aux toilettes. La honte tO-ta-le !

☠ Ma mère est mutée à NYC (comme dans mutante ?).

☠ Océane me reproche de ne pas lui faire de confidences au sujet de ma vie familiale. Elle me fait des confidences, elle ? Non et je ne lui en veux pas du tout. Au contraire !

☠ Océane affirme que ma mère veut peut-être divorcer parce qu'elle travaille à NYC.

CONCLUSION : Ouate de phoque !

J'ai besoin d'un conseil PERTINENT. Mon horoscope, vite !

Amours : Parfois, le hasard fait bien les choses, c'est ce que vous comprendrez aujourd'hui. **Amitiés :** Un dialogue enrichissant est à prévoir avec un Scorpion. **Famille :** Si vous vivez encore chez vos parents (vite dit. Ils ne sont jamais là !), sachez qu'ils ont une proposition intéressante à vous faire. Écoutez attentivement ce qu'ils ont à vous dire. **Santé :** Vous vous sentez bien dans votre peau. Soirée détente. **Votre chiffre chanceux :** le 6.

Je ne comprends pas ce que le hasard m'a apporté de bon aujourd'hui ; mon troisième œil doit être en panne. Mes parents ne m'ont rien présenté de *palpitant*, ils ne pensent qu'à **eux**, **eux**, **eux**. Ma mère a peut-être une annonce à me faire mais je ne vois pas ce qu'il y a d'intéressant dans le fait de savoir que mes parents pourraient divorcer pour cause géographique et qu'ils n'assument pas leur décision devant moi, leur fille chérie. **Lol fois six**, je suppose ? La meilleure : Je. Me. Sens. Bien. Dans. Ma. Peau. Encore mieux : ⌐⌐ et maintenant, je me détends. C'est n'importe quoi. **VRAIMENT !**

 À : Lea.sec2@gmail.com
De : Antoine17@hotmail.ca
Objet : Ça va ?

Léa,

Lily m'a raconté ☹…

P.-S. G gagné au mississipi !!! ☺

Tchaw !

Il est trop chou ! Qu'est-ce que Lily lui a dit ?

À+, je dois répondre à **Antoine**.

Le téléphone sonne. C'est la **Scorpion** de la prédiction. À+.

27 FÉVRIER

Gym. Nous jouons au **VOLLEY-BALL**. En me rendant ici, j'ai aperçu Aglaé-la-papesse-de-ce-qui-est-vraiiiment-*in*-dans-la-vie qui m'a fait un air *hypocrito-chic* qui m'a mise en **colère**. Elle aurait pu m'ignorer. Option plus que valable dans les circonstances.

Je prends ma place sur le terrain. Mes coéquipiers m'ont désignée à l'unanimité pour servir. Je m'installe. Ma jambe-culte (pour ceux qui ont été distraits par les récents événements tragiques, c'est cette jambe qui a remporté une médaille) vers l'avant. Je me balance doucement puis je revois la grimace d'Aglaé sur l'écran de mon cerveau. Je **FRAPPE** le ballon qui file directement sur l'équipe adverse. Les filles se sauvent en criant. Mes coéquipiers hurlent leur joie.

Deuxième service. La rage m'envahit. Pas chouette, cette sensation. Le souvenir de la journée d'hier remonte. Facile, il n'est pas enfoui très loin ! Les mots d'**Océane** résonnent dans ma tête. Je frappe le ballon qui passe le **FILET** comme un **boulet** de canon. Hurlements de joie (bis).

Je recommence. Après sept services, la **rage** s'est envolée. Je réussis le huitième service. Cette fois, j'ai frappé Karo en plein front.

Bilodeau arrive, son inséparable sifflet bondissant sur son thorax en suivant la cadence de son pas martial.

– Léa, tu es super bonne, ma grande (**GRRR !**), mais il va falloir laisser le ballon à l'autre équipe. Il faut qu'ils aient la chance d'y toucher au moins une fois.

Je suis la **vedette** du volley-ball. Merci à la Papesse-de-ce-qui-est-vraiiiment-*in*-dans-la-vie !!!!! Sans elle, je n'y serais jamais arrivée. *Blink !*

– Il paraît que t'es une vraie bête au volley ? Je savais pas ça, me dit Antoine en verrouillant sa case.

– Moi non plus. Hey ! J'aurais aimé te voir hier. C'est tout un sport, le mississipi. Tiens, la photo que Lily a prise à Claude-Robillard.

Je lui fais un petit clin d'œil. Je lui remets notre PHOTO. Je m'approche pour déposer un baiser innocent sur sa joue rosissante. *Blink !*

– DISTANCE ET DISCRÉTION !

Geoffrion doit être fière d'elle ! Elle nous a surpris deux minutes avant que la cloche sonne. **Ouate de phoque !** Elle **vit** dans une case ou quoi ? Elle est toujours là où il faut qu'elle soit, c'est pas normal. Nous avons **éclaté** de rire, c'était plus fort que nous. *Distance-et-discrétionnés* deux fois durant le même mois !

Allez raconter à **PVP** que Léa et **Antoine** se sont fait **attraper** par Geoffrion alors qu'ils s'embrassaient passionnément au milieu du corridor. Il a certainement un super conseil pour nous !

C'est la relâche. **ENFIN !** Antoine part ce soir. Quelques jours de ski en famille. Lily part au chalet de son oncle pour détester sa famille mais elle sera là pour le bowling, le 5 mars ! Moi ? Je reste. Je veux m'assurer que les choses ne changent pas dans mon QUARTIER.

Première activité de la relâche : **RAYER** le dernier point sur ma **A-Liste**.

17~ Offrir la photo d'🌟 et de moi à 🌟

LOVE

Où Léa se consacre
au grand ménage
du printemps

2 MARS

Aujourd'hui, c'est encore la relâche et Stéphanie a patrouillé le quartier avec moi. On s'est ennuyées ensemble. C'est vraiment moins **plate**. Mais au ciné-club, on a pensé à nous. Le thème de la semaine ? Films de filles ! Au PROGRAMME, ce soir : *Confessions d'une accro du shopping*, toujours avec ma compagne d'infortune.

On est assises dans la dernière rangée. Notre rangée préférée ! Bon, le FILM commence. Beckie est tellement gaffeuse. On se sent moins cruches quand on la regarde. Et l'action se passe à NYC ! Je prends des notes mentales. Quand ma mère m'invitera, je saurai ce que je veux. Je suis prévoyante. Comme dans voyante ? Ouuh !

Aperçu de mes notes mentales (à recopier dans mon carnet panda trop mignon le jour où on m'invitera dans la plus belle ville du monde entier) :

1. Beckie a acheté son FOULARD vert chez **Henri Bendel**, sur la Cinquième Avenue. Quand j'irai à NYC, je me ferai photographier devant cette boutique tellement CHIC.

2. Quand je marcherai sur la **Cinquième Avenue**, il faudra que je sois attentive. Le vent pourrait me lancer une offre mirifique à la figure. C'est possible. C'est arrivé à Beckie !

Pendant que Lily skiait, je n'ai pas perdu mon temps. J'ai fait le ménage de mes **TOUTOUS**. J'en ai cinquante-deux. (Estimation rapide.) Comme ma mère me l'a fait remarquer – elle ne capote pas sur le ménage mais elle sait compter –, il y en a beaucoup (!!!) et je ne peux pas avoir développé un lien super fort avec chacun d'eux. (Affirmation pas rapport qui n'a jamais été prouvée scientifiquement !)

Je pige dans le tas. Non ! Pas mon petit singe bleu ! Je l'ai gagné à **LA RONDE** en sixième année. Il est vraiment laid, mais c'est un souvenir. Avec Lily, on a mangé trop de **barbe** à papa et on a vomi dans l'autobus en revenant. Vraiment, je peux pas le donner. C'est réglé. Il reste ici. Mon **SERPENT** vert maintenant. J'hésite. Une fois...

Résultat de mon super ménage : **DON** de six toutous. Mon cyber-astrologue l'avait prévu ! Excellent. J'aime les choses concrètes.

– Pourquoi me regardes-tu comme ça, Léa ? J'ai un morceau de laitue coincé entre les dents ?

– C'est parce que ça fait longtemps que je t'ai pas vue ! **Ouate de phoque !** ai-je répliqué avec une exaspération parfaitement simulée.

– **Léa, parle comme il faut !** *Ouate de phoque* ! ce n'est pas une expression très élégante. Il y a bien d'autres façons d'exprimer ton exaspération. Que dirais-tu de punaise, par exemple ?

PUNAISE ??? Ma mère me connaît mal si elle pense que je dirai ce mot un jour.

– Maman, as-tu beaucoup d'amis à NYC ?

Je **DÉTOURNE** habilement la conversation. Je suis vraiment douée !

– J'ai **un** bon ami. Andrew.

C'est vrai, j'avais oublié, elle est comme Lily. Elle a un *BFF* 🐚🐚🐚🐚. Non, **des** *BFF* gars.

– Andrew, il est marié ? Il a des enfants de mon âge ?

– Il est divorcé.

– Il a refait sa vie ? ai-je ajouté, distraite par la vision d'un homme bâtissant une maison avec des 🄱🄻🄾🄲🅂 Lego.

– Léa, qu'est-ce que tu veux **vraiment** savoir ? me demande-t-elle doucement.

– **Vous allez divorcer, hein ?** ai-je crié, pas trop fort j'espère.

– Pour répondre clairement à ta question : **non** !
Je tra-va-ille à NYC, très fort en plus ! Toi, comment
va **ta** vie ? me demande ma mère, qui me trouve *foule*
anormale tout à coup.

Je résume. Elle a tout nié. Mais elle sent qu'il y a
anguille sous ROCHE. **Ouate de phoque** !
Une autre expression sortie de nulle part. L'adultite
aiguë me contamine SOURNOISEMENT, c'est
évident. Stratégie inefficace. Zapette. Changement de
programme.

– Maman, je vais au bowling, demain soir, avec
Antoine et Lily ! Tu peux nous conduire, Lily et moi ?

Hommage à mon papa. **ALLUMEZ** les projecteurs : « Je remercie mon père, qui m'a tout appris en
matière de diversion. » Fin de l'hommage. Extinction
des projecteurs. Merci !

Le point sur mon enquête : Océane a dit n'importe
quoi.

5 MARS

Antoine a invité Guillaume à se joindre à nous, ce
soir. Super idée ! Moi ? Je porte mon chandail LOVE.
J'ai appliqué un peu de mascara sur mes CILS. Et
du brillant à lèvres... ben... sur mes lèvres !

– Dis-lui, Lily, dis-lui ! Je n'enfilerai **jjjjjjjjamais** ces chaussures **immmmmmmondes** ! Demande au *monsieur* si je peux garder mes espadrilles, ai-je supplié ma *BFF* qui, crampée, fait tout de même le MESSAGE au *monsieur* qui a, au plus, dix-huit ans.

Il me regarde croche, grogne quelque chose au sujet des précieuses petites princesses et me demande ma POINTURE. Lily est (toujours) crampée.

Je demande à Antoine, en simulant une forte envie de vomir :

– Ça te dérange pas, toi, de porter ces trucs-là ?

– Je pense jamais à ça, dit-il en repoussant la mèche qui a soudainement glissé devant mes yeux. Oublie les godasses, Léa. On est ici pour s'amuser !

En tout cas ! Je déteste les souliers **puants**. (Vérification discrète. Ils ne sentent rien. Mais quand même !) Je ne connais pas la manière élégante de lancer la **boule**. Et malgré ça, j'ai invité Antoine ici et on fait équipe !!!

Lorsque c'est mon tour, je saisis une boule rose, juré ! Je suis distraite par la rampe de lancement que le *monsieur* a laissée près de nous. Lily lit certainement dans mes pensées car elle m'a menacée du regard. J'OUBLIE la rampe. Elle préfère que je m'humilie publiquement ? Je fais comme les quilleurs au réseau des sports : je chuchote des conseils à ma

boule chanceuse. **Ouais.** J'abats cinq quilles.
Mini danse de la joie !

Pendant que Guillaume conseille Lily sur l'art
de donner un effet d'enfer à une **BOULE**
de bowling (ils sont très chou, ensemble !), je me
serre contre Antoine. On se sourit. Je lui dis que son
bronzage est vraiment naturel. (**Ouate de phoque !**
Il y a des bronzages surnaturels ?) Je le fais rougir.
(**Ouate de phoque au carré !**) Je lui parle de New
York où j'irai avec ma mère, un jour. (Il m'a parlé
des Rangers de New York, une équipe de hockey qui
sévit vous-devinez-où.) Il rêve que l'école offre un
programme **SPORTS**-études parce qu'il voudrait
bouger plus. (Il ne bouge pas assez ? Qu'est-ce qu'il lui
faut ?) Changerait-il d'école à cause de ça ? (Non.) Il me
confie que Guillaume **aime** bien Lily. (C'est noté.)
Je lui dis que Lily l'aime bien aussi (comme ami !) et
on se fait un clin d'œil en même temps. (**Pinkie !**)

– Léa ! C'est ton tour, s'égosille Lily en sautillant
devant moi. J'ai fait un abat. Essaie de faire mieeeux !

– Comment je peux faire **mieux** qu'un abat ? Tu
veux pas que j'en fasse **deux** ?

Antoine se lève pour m'aider à relever ce défi insur-
montable !!! Il se place derrière moi, il positionne mes
bras (vraiment trop longs pour ce sport), il me montre
comment me pencher vers l'avant et **GLISSER**
en relevant une jambe pour faire vraiment pro ! (Pour
tomber dans le dalot devant tout le monde ? Non
merci !) Je lance ma boule en grimaçant.

– Et c'est l'abat ! crient Guillaume et Lily en sautant dans les airs. (**Pinkie au carré !**)

Antoine me fait un giga CÂLIN. *Blink !* Je l'embrasse dans le cou (il sent bon !) et le remercie pour ses précieux conseils. Lui, il chuchote à mon oreille qu'il adore mon chandail. (**Ouuh !**)

Une question comme ça : Comment ai-je réalisé cet abat ? **Première hypothèse** : la fameuse chance du débutant. **Deuxième hypothèse** : l'effet Antoine ! **Troisième hypothèse** : la boule rose ! D'après moi, c'est l'effet Antoine sur la boule rose ! *Blink !*

Avant de partir, **Antoine** m'a fait un méga câlin pendant que Lily et Guillaume **toussotaient** derrière nous. **Ouate de phoque !** Les gens ne sont jamais contents.

6 MARS

Il est 10 h 43. Je me lève. Mes parents sont tellement énergiques, ce matin ! **Calmez-vous !** De toute manière, j'ai un plan d'enfer qui les exclut. Avec Lily et Stéphanie, on écoutera tous les *Harry Potter* en *RAFALE*.

Lily m'a accueillie en me racontant les moments forts de notre soirée **bowling** encore et encore. Elle semble croire que je suis amnésique. J'étais là aussi, Lily !!!

Résumé de la soirée bowling du point de vue de Lily : Guillaume est trop sur la coche ! (À répéter à **Antoine** !)

Quand Harry a **EMBRASSÉ** Ginny, Lily a arrêté le film. Quoi encore ? Guillaume ressemble à Daniel Radcliffe ? Te^eell_ement pas. Lily m'a demandé (devant Stéphanie qui dormait) pourquoi on ne s'était pas embrassés, hier soir. J'ai rougi puis j'ai *englouti* quelques framboises. Je ne voulais pas avouer que je ne suis pas prête à embrasser Antoine comme Ginny a embrassé Harry.

On s'est couchées à 6 h du mat', après que **Moucheronne** soit allée bavasser à Ginette, qui a rappliqué dans le sous-sol en *jaquette de flanellette*. Autre symptôme de l'**adultite** aiguë : humilier ses héritiers à toute heure du jour ou de la nuit.

Une chose qui m'a frappée : Robert Pattinson était TELLEMENT beau dans *Harry Potter et la coupe de feu*. OhMonDieu ! On a vraiment trippé.

7 MARS

Je suis dans ma chambre. Je pense à la CÔTE du week-end.

Cote du week-end : ~~13~~ 14/10. Le bowling ❤❤❤❤❤❤❤❤❤❤. Le giga méga câlin d'Antoine ❤❤❤❤❤❤❤❤. Lily et Guillaume ❤❤❤❤❤. L'étrange comportement de mes parents super énergisés (?????). Le marathon cinéma avec Stéphanie et Lily ❤❤❤❤. L'enquête au sujet de ma mère (–).

8 MARS

Aujourd'hui, c'est la journée internationale de la Ⓕ Ⓔ Ⓜ Ⓜ Ⓔ. Mon père a offert une rose rouge (une seule !!! Je sais pas, il aurait pu se forcer un peu, non ?) à ma mère pour **souligner** l'événement. Quand même, il peut faire preuve d'efficacité, des fois. Je suis fière de lui, même s'il aurait pu lui donner plus qu'une 𝒻𝓁𝑒𝓊𝓇 !

Préparation de mon débat. Dans le coin gauche, les bons Incas. Dans le coin droit, Cortez et ses Espagnols cupides. Moi, avec ma chance légendaire, je défends la bande de Cortez. Je vais 𝒸𝑜𝓊𝓁𝑒𝓇 à pic, malgré une veste de sauvetage ET des flotteurs.

Je suis prête. J'ai préparé **une** fiche. (Rappelez-vous 𝒪𝒰𝐼𝒥𝒜 et les conseils de la prof de français.) J'ai fait **un peu** de visualisation aussi, pour plus de sûreté. Je me vois, calme et convaincante. Karo frémit devant mes arguments. Ça va bien aller. J'ai le temps de consulter mon cyber-astrologue.

Amours : Ne négligez pas votre bien-aimé. **Amitiés :** Une amie vous fait une proposition que vous devriez écouter. **Finances :** Un projet vous préoccupe ? Relaxez, tout ira pour le mieux. **Famille :** Vous démasquerez un proche qui croyait bien cacher son jeu. **Santé :** Mangez de l'ananas. **Votre chiffre chanceux :** le 8.

Mes parents me JOUENT la comédie. Je le savais tellement ! Le débat ? Super beau : tout ira pour le mieux !!! De l'ananas ??? Pourquoi pas huit ananas ! TO-ta-le-ment **SANS RAPPORT** ! Je parle à Antoine parce qu'il ne faut pas le négliger. Il veut savoir ce que Lily pense de Guillaume. À+ !

À : Lea.sec2@gmail.com
De : Karo@hotmail.com
Objet : le débat :0 :0 :0

Léa, j'ai pas hâte au débat... On échange nos arguments ? Je veux pas avoir l'air folle. =^.^=

C'est SA proposition que je devrais écouter ? Pas du tout ! Ce n'est pas mon amie, c'est une bonne copine ! Et l' **ASTROLOGUE** parle bien d'une AMIE. Je relaxe parce que, d'après mon cyber-astrologue : TOUT. IRA. POUR. LE. MIEUX. Karo doit savoir ça, elle aussi. Ça la concerne.

À : Karo@hotmail.com

De : Lea.sec2@gmail.com

Objet : Re : le débat :0 :0 :0

Karo

Relaxe ! Tout ira pour le mieux, crois-moi.

P.-S. J'aime trop ta signature Hello Kitty !

Léa

Nous sommes à l'aéroport. Ma mère embrasse mon père qui l'embrasse aussi. (Un super point contre l'hypothèse farfelue d'*Océane* !) Ève (ma mère !!!) me **serre** dans ses bras. Moi aussi, je l'ai serrée dans mes bras en VERSANT quelques larmes que j'ai essuyées discrètement sur son épaule. Elle jouerait un jeu ? **Nan !** Ma mère ne joue jamais de jeu. Ça, je le sais.

– Léa, Jean-Luc et moi en avons discuté...

– **Je le savais tellement !**

Ça y est. Elle va me l'annoncer. J'ai MAL **au cœur.** Vite, je colle mes mains sur mes oreilles, prête à chanter la chanson thème de *Passe-Partout* à tue-tête pour ne pas entendre ce que mes parents vont m'AVOUER ici et maintenant. **Dans un aéroport rempli de gens que je ne connais pas !**

– Je t'invite à passer quelques jours à NYC pendant les vacances de Pâques !

– **Je le savais !** (Euuuh. **QUOI ?** Qu'est-ce qu'elle a dit ?) OhMonDieu ! OhMonDieu ! OhMonDieu ! AAAAAAAAAAAAAAAAAAAAAA AAAAAAAAAAAAAAAAAAAAAAAAAh !

Est-ce que j'ai crié trop fort ou l'aéroport est vraiment *foule* écho ? La  de l'aéroport semble favoriser la première hypothèse. Deux agents (ils ont fait exprès d'envoyer les plus **laids** ?) se sont pointés et ont demandé à mon **père** si tout allait bien. Erreur stratégique, surtout en cette journée inter-nationale de la **femme** ! Pfff !

J'irai à NYC en avril. Moi. Léa. Je vais quitter mon quartier somnifère pour aller à NYC, la VILLE QUI NE DORT JAMAIS. Je n'y crois pas.

Le point sur mon enquête : Lily a raison. Océane a vraiment dit n'importe quoi.

À : Antoine17@hotmail.ca
De : Lea.sec2@gmail.com
Objet : NYC !!!

Je vais à NYC à Pâques. J'ai vraiment hâte. Juste pour te dire. À demain !

Léa

Il est passé 21 h depuis longtemps. Je veux pas me transformer en CITROUILLE... Antoine ne répond pas ? Bonne nuit quand même !

9 MARS

4 7 dodos avant NYC (interdiction totale de rire)

– OhMonDieu ! Tu vas **vraiment** à NYC chez ta mère ? Tu vas connaître la ville de l'intérieur. Je t'envie tellement, ma chou. Tu iras au Dylan's Candy Bar ? Tu prendras des photos, hein ? Au moins mille. Tu m'achèteras des fraises Tagada. Central Park. Times Square. Tu... OhMonDieu ! Tu connais pas ta chance. Ta mère est jamais sur ton dos et elle t'invite à NYC. Ta mère est teeellement cool.

Ma mère est **COOL** ? Je trouve pas. Mais j'ai de la chance. Je serai à NYC bientôt ! **À ne pas oublier, Léa** : NOTER toutes ces mirifiques idées dans ton carnet *Léa à NYC*, ce soir.

Je tiens dans mes mains le mémo de la vie étudiante. Je ne lirai pas ça. Solution de rechange ? En confier la lecture à **PVP** qui serait plus qu'honoré d'exhiber ses talents d'orateur devant la classe **endormie** ?! Prends ta vie en main (et le mémo aussi !), Léa.

– La vie étudiante tient à souligner l'extraordinaire performance d'Océane Therrien à la compétition provinciale de nage synchronisée. L'équipe d'Océane a remporté la médaille d'argent. Félicitations, Océane !

Je lève les yeux, je lui souris timidement en rougissant. Elle me fait de l'attitude !! **PVP** crie « Bravo » en applaudissant **Océane** qui se lève pour remercier ses *supporters* réveillés en sursaut par les cris de **PVP**. Va t'asseoir, Léa. L'**orage** va passer.

– Félicitations, Océane ! Tu es un exemple pour tes compagnons ! (*Lunettes bioniques* ne la connaît pas aussi bien que nous.) Mais les succès d'Océane (OK. Tout le monde a compris !) ne doivent pas nous faire oublier notre chère géométrie ! (Lily pouffe de rire. D'accord avec elle. C'est un maniaque.) Ouvrez votre livre à la page 96 ! a ordonné *Lunettes bioniques* en faisant **CRAQUER** ses doigts.

J'ai survécu à cette dure journée. J'ouvre mon carnet **PANDA**. Il est toujours aussi beau ! J'écris ma première super idée avec un stylo à encre gel **Scintillant**.

En écrivant la deuxième, j'ai dessiné plusieurs sucettes géantes, celles avec une **spirale** au milieu. Ce sont les meilleures ! Lily a suggéré deux autres idées assez évidentes, mais je les ai ajoutées quand même. Je veux que ma liste soit super **loooongue** :

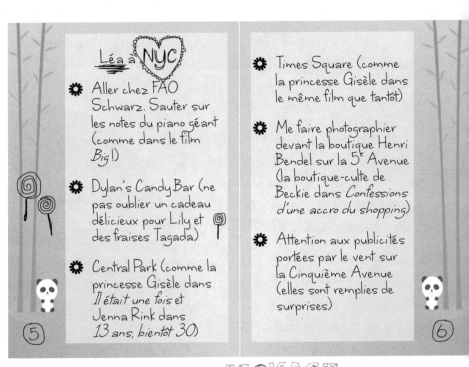

Léa à NYC

- Aller chez FAO Schwarz. Sauter sur les notes du piano géant (comme dans le film *Big*!)

- Dylan's Candy Bar (ne pas oublier un cadeau délicieux pour Lily et des fraises Tagada)

- Central Park (comme la princesse Gisèle dans *Il était une fois* et Jenna Rink dans *13 ans, bientôt 30*)

- Times Square (comme la princesse Gisèle dans le même film que tantôt)

- Me faire photographier devant la boutique Henri Bendel sur la 5e Avenue (la boutique-culte de Beckie dans *Confessions d'une accro du shopping*)

- Attention aux publicités portées par le vent sur la Cinquième Avenue (elles sont remplies de surprises)

5 6

Ça va être le plus beau VOYAGE de ma vie.

10 MARS

4 6 dodos avant NYC

Dans ma chambre. J'entends Lulu ZAPPER pendant que j'essaie de réfléchir. Peut-être que l'**aventure** new-yorkaise de ma mère dort dans ses courriels.

C'est très mal d'épier sa mère, mais si je veux savoir, je n'ai pas le choix ! C'est la faute d'Océane. Elle m'a demandé des nouvelles de NYC aujourd'hui !

Je l'ai un peu **KC** en lui disant que j'y allais à Pâques mais mes neurones doutent encore. En attendant le bon moment, je **L I S** mon horoscope.

Amours : Vous avez soif de vérité. **Amitiés :** Une amie peut vous aider à résoudre le problème qui vous tracasse. **Finances :** La Bourse connaît des soubresauts ? Faites confiance à votre flair. **Famille :** Un parent ne peut rien vous refuser. **Santé :** Ne rangez pas vos bottes trop tôt, le virus de la grippe est toujours actif. **Votre chiffre chanceux :** le 2.

Je décode. Les sciences occultes, ce n'est pas du tout cuit. (Une autre expression pas rapport. Qui fait cuire son horoscope ? Franchement !) Le **message** des astres, il faut le mériter. Et je suis devenue pas mal pro. Constatez par vous-même !

Ma mère ne peut rien me refuser, alors je demanderai l'aide de Lily – l'amie qui va m'aider à régler le problème qui me *tracasse* – de m'accompagner dans mes recherches afin de découvrir LA vérité. **OhMonDieu !** Je suis si douée ! Nous aurons du flair car nous serons deux. Ah oui ? Ai-je vraiment bien décodé ? Je n'en suis pas si certaine.

Autre chose. Demain, mon débat. **Beur-kkke !** Mon **ADVERSAIRE** ? Karo ! **Lol fois mille !**

④⑤ dodos avant NYC

Ouate de phoque au super cube !!!!!!!!!!!! Vous ne devinerez jamais ! **Karo est absente !** Cyber-astrologue aurait pu m'avertir au lieu de capoter sur mes **bottes** ! Mais ça prouve que j'ai du flair. J'ai bien fait de ne pas me **CASSER** la tête avec les arguments de Karo. Économie de temps appréciable.

Je veux débattre aujourd'hui. J'ai hâte de débou-lonner le **MYTHE** des bons Incas. Je lance ma requête dans l'Univers. Le prof n'est pas encore là ? Je me concentre encore plus fort sur ma requête. À+.

Mon souhait a été à demi exaucé. J'ai pu débattre.

Avec PVP.

Ouate de phoque à la puissance exponentielle !!!

PVP, toujours aussi *téteux*, a proposé au prof de prendre la place de Karo puisqu'il a préparé ce sujet et qu'il est volontaire et qu'il veut passer aujourd'hui et qu'il fait ça pour aider. Il m'a jeté un regard à la fois moqueur et **CRUEL**, enfin, c'est mon interpréta-tion. Il est t**O**-**ta**-le-ment insupportable.

Le prof a **accepté**, content de ne pas avoir à s'en mêler. J'imagine ça, il ne me l'a pas dit. Mais il a remercié **PVP** pour son dévouement. Vous pensez que ça s'arrête là ? **OH QUE NON !** Il lui a dit qu'il bonifierait sa note finale de **deux points** !!!

Je ne suis pas une spécialiste de l'éducation. Mais je crois qu'il ne faut pas +ENCOURAGER+ les *téteux* à l'être toujours plus. **Deux points !** Je crois que c'est un peu ma faute. À la Saint-Valentin, je lui ai dit d'être lui-même. J'ignorais que son vrai moi était *téteux* serviable ! Et l'UNIVERS dans tout ça ? C'est n'importe quoi !!! J'exagère ? Constatez par vous-même.

Extrait d'un débat qui a mal tourné (à ne pas imiter)

Léa : Cortez voulait faire connaître Jésus aux Incas. Il leur a construit une chapelle. (Air MYSTIQUE qui aurait réjoui le prof d'ECR. Je crois que j'ai joint les mains ; mais je n'en suis plus certaine. Je souhaite que non !)

PVP : Une chapelle ! **Oh là là !** Tu oublies de souligner qu'il a pillé leur or **aussi**. Qu'il a expédié au roi Charles Quint (il en invente, là. Ce Charles-là n'a jamais existé ! Je le saurais !) qui, en retour, lui a accordé des titres de noblesse.

Léa : Tu sais que le pape approuvait Cortez ? Le pape, ce n'est quand même pas un *nowhere*. (OhMonDieu ! J'ai pas DIT ça !!!! Reprends-toi vite, Léa.) **Monsieur, ce n'est pas ce que je voulais dire !!!**

PVP : (après avoir pouffé de rire devant mon argument quand même bon, mais plutôt mal exprimé) Tu parles sans doute de la croix que Cortez a fait BRÛLER sur son drapeau ? Je te l'accorde. **Mais soyons clairs. Aucune croix** ne saurait justifier les massacres qui ont été perpétrés. (**Ouate de phoque !** Il parle comme ma mère !)

Léa : C'est une bonne action qui a... mal tourné !

PVP : ## Mal tourné ???

Heureusement, j'ai oublié le reste. Merci aux  qui ont fait le grand ménage dans mes souvenirs !

Je ne souhaite à personne de subir une pareille dégelée en **PUBLIC** !! Sauf peut-être à Océane, qui a bien rigolé en me voyant bafouiller devant les arguments béton de **PVP**, qui a eu la chance, grâce à moi, de se mettre en vedette. Il est *bollé*, **PVP**. Respect !

À NOTRE table. Je raconte ma déconfiture. Sabine a les larmes aux yeux. Pour une fois, ce n'est pas à cause de Jérémie. Guillaume et Martin ne se sont pas gênés pour se  de moi. Ils peuvent bien rire, leur débat est lundi prochain !

– T'en fais pas, Léa. Tous ceux qui ont défendu les Espagnols en ont arraché. Le prof va en tenir compte, il est pas stupide. C'est impossible de les défendre !

T'aurais dû voir Aglaé. Elle a presque **pleuré** à la fin de son débat. *Bieber* ne l'a pas manquée, m'a dit **Antoine** en me souriant tellement bien que je ne pensais presque plus à la note nanométrique[14] que je mériterai.

Bof ! C'est juste un **chiffre** après tout. Un chiffre, ça change pas le monde. Même les millionnaires le disent. J'espère que c'est vrai.

ANTOINE n'est jamais allé à NYC. Il veut que je me fasse photographier devant le Madison Square Garden[15]. Il me l'a demandé ce midi, en face de sa case, alors que nous étions seuls pendant trois micro-secondes ! (Je rêve qu'un jour, on s'embrasse ici, lorsque le **CORRIDOR** sera désert.) *Euuuh* ! Je n'ai rien inventé ? Il veut une photo de **moi** devant le Madison Square Garden ? ! *Blink !*

Dans ma chambre. Je note la demande d'Antoine dans mon carnet qui est **TOUJOURS** aussi beau.

---

14. Tellement minuscule que le microscope qui réussira à l'apercevoir n'a pas encore été inventé. J'exagère à peine.
15. Le Madison Square Garden est à New York ce que le Centre Bell est à Montréal. C'est le foyer des Rangers de New York, une des six premières équipes à avoir joint la Ligue nationale de hockey. Je n'irai pas longtemps mais pour faire plaisir à Antoine, je prendrai des photos.

Léa à NYC

- Aller chez FAO Schwarz. Sauter sur les notes du piano géant (comme dans le film *Big* !)

- Dylan's Candy Bar (ne pas oublier un cadeau délicieux pour Lily et des fraises Tagada)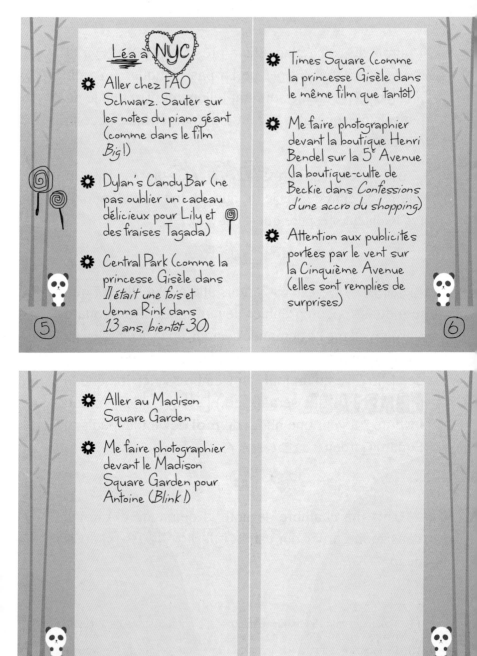

- Central Park (comme la princesse Gisèle dans *Il était une fois* et Jenna Rink dans *13 ans, bientôt 30*)

⑤

- Times Square (comme la princesse Gisèle dans le même film que tantôt)

- Me faire photographier devant la boutique Henri Bendel sur la 5ᵉ Avenue (la boutique-culte de Beckie dans *Confessions d'une accro du shopping*)

- Attention aux publicités portées par le vent sur la Cinquième Avenue (elles sont remplies de surprises)

⑥

- Aller au Madison Square Garden

- Me faire photographier devant le Madison Square Garden pour Antoine (*Blink* !)

⑦

150

4 3 dodos avant NYC

LULU est partie en croisière parce qu'elle n'a jamais le mal de mer. Mon père travaille moins et nous passons du *temps de qualité* ensemble. **Ouate de phoque !** Excusez-le. C'est un adulte !

Ce soir, papa a fait de la pizza maison : la sauce **et** la pâte. C'est le digne fils de Lulu. Comme je suis la fille de ma mère, j'ai râpé le **FROMAGE** en faisant un effort pour ne pas me râper les doigts en même temps. J'ai dressé la table dans le salon pour notre **PIQUE-NIQUE** télévisuel. **Et j'ai choisi le film.** *L'Attrape-Parents !* Je mets enfin en œuvre mon plan diabolique au sujet du possible divorce de mes parents, d'après **Océane** qui se trompe tellement ! Mais ses allusions hypocrites me hantent encore.

Résumé du film. C'est l'histoire de jumelles, séparées à la naissance par des parents **cruels**. L'une vit avec la mère à Londres, l'autre, avec le père en Californie. Les parents sont **di-vor-cés**. Les jumelles identiques se retrouvent dans un super camp de vacances. (Je connais encore le signe secret d'Allie et de son *butler*. **N'oublie jamais ça, Léa** : faut que tu l'apprennes à Lily. Elle va adorer les mouvements trop **fluides**.)

Nous en sommes (enfin) à la séquence où une jumelle dit (enfin) à sa mère (trop cool, **elle**) que leur arrangement est « **dégueulasse** ». C'est le mot qu'elle a utilisé. Je cite. J'y peux rien. Heureusement que ma mère n'est pas là. Elle me ferait un discours sur l'importance de parler avec élégance et blablabla. Là, je lui rappellerais que c'est elle qui m'a offert ce DVD ! Bon. Concentration !

– Papa, c'est possible de se marier plus qu'une fois avec la même personne ? ai-je demandé, la bouche pleine.

J'espère que ma question était quand même claire.

– La vie m'a appris une chose, Léa : tout est possible ! Par exemple, qui aurait pensé que l'Homme mettrait le **pied** sur la Lune un jour ?

Rapport ???

– **PAPA**, est-ce que maman et toi... Humm, elle est bonne ta pizza ! C'est vrai que l'amour est un champ de bataille ? (C'est Jenna qui le dit dans *13 ans, bientôt 30*.) Tu te battrais fort comment, toi, pour garder maman ?

J'ai dit ça sur un ton **COOL** et mature à la fois (je souligne que c'est un de mes tons préférés car super efficace). Je suis tellement fière de moi. **10/10** pour cette réplique, Léa.

Résumé du long monologue de mon père : selon lui, ma mère est un **PAPILLON** qu'on ne met pas en cage. **Ouate de phoque !** (Qui voudrait mettre un papillon dans une cage ? Il se faufilerait entre les **barreaux** de toute manière. C'est une idée vraiment saugrenue.) Il m'a ensuite rappelé ses années de boxe au secondaire. Et il a roulé les poings devant lui. **Oh. Mon. Dieu !** Croyez-moi, ça n'avait rien de rassurant. Sois positive, Léa. **Trop bon point.** Mon père ne va pas se laisser divorcer si facilement !

Bon, le film continue. **Cruella Devil**[16], la blonde du père, a un lézard dans la **BOUCHE**. Ma scène préférée du film. À +.

Le point sur mon enquête : rien que du vieux !

Cote du week-end : 10/10. Le pique-nique pizza cinéma avec mon père ❤❤❤❤❤❤❤. Sa pugnacité (autre mot chouchou de ma mère. Ça signifie, si j'ai bien compris son interminâââble explication, combatif) ❤❤❤. Son romantisme ❤❤❤❤❤❤. Téléphone d'Antoine dimanche soir ❤❤❤❤❤❤❤❤❤❤❤. Les math (–).

Comment j'ai établi la moyenne ? Au pif ! Additionnez 32 cœurs et 1 moyen tiret puis appuyez sur la **TOUCHE** = et voyez si vous obtenez un résultat sensé. Dans la vraie vie, le pifomètre est plus efficace qu'une calculatrice !

(D'accord, je sais que vous vous demandez de quoi nous avons parlé, **ANTOINE** et moi. Laissez-moi réfléchir... De choses et d'autres. Je pense que ça ne va pas vraiment vous intéresser. Bon. C'est **PRIVÉ**, genre.)

---

16. La méchante, dans *Les 101 dalmatiens*. Les jumelles surnomment ainsi la blonde de leur père (trop beau, le père). Vous devinez pourquoi. Non, elle ne veut pas se faire un manteau en peau de petites filles. Elle déteste les jumelles et le père (un gars) ne voit rien.

À NOTRE table. Océane est là (???), au bout de la table, avec Aglaé. On a pas le droit de refuser à quiconque de s'asseoir à NOTRE table. À cause du code de vie de notre belle école internationale ouverte à tous ! Dommage ! On exigera que cet article nul soit aboli ! Sinon ? Boycott de la café !

– Léa, t'es pas la seule à avoir eu l'air folle devant tout le monde. Moi aussi, je me suis fait planter, m'a confié Guillaume.

Qui a ri de moi la semaine passée ? KC !

– Pauvre Léa ! Sa vie est très compliquée en ce moment. Faut la comprendre, a rappelé Océane, l'air de compatir avec moi alors que je sais qu'elle parle de ma mère !

Aglaé approuve en hochant la tête. Qu'est-ce qu'elle en sait, la papesse ?

Là, ça va faire ! J'en ai assez de leurs commentaires plates. Elles aiment pas ça, être avec nous ? Pourquoi elles restent alors ? Parce qu'elles n'ont pas de vie ou parce qu'elles ont besoin d'aide pour trouver une autre TABLE ? Je peux rien faire pour leur vie, mais pour la table, ça peut s'arranger !

Je me lève. Je ramasse mon cabaret. Et je change de table. Avec grâce et dignité, je le souligne. Antoine m'a fait un sourire tellement craquant. Il s'est levé si vite que la table a bougé. (Il se lève bien !) Les autres ont suivi. Même Sabine qui aimait tant ◐◖◗ avant Noël ! On s'est installés à une AUTRE table. Océane a rougi en ouvrant la bouche et en arrondissant trop les yeux. **yo** !

Je dis à **Océane** très calmement :

– Tu ne seras plus obligée d'écouter nos niaiseries. Trouve-toi une vie à toi, maintenant !

– Suis donc son conseil ! renchérit Antoine, en souriant lui aussi.

Après s'être fait casser au carré, Océane s'est précipitée aux toilettes, suivie de l'éternelle Aglaé dont la **MUTATION** en *bobble head* a cessé subitement. Dommage !!!

Antoine a pris ma défense ? *Blink !*

– *Gang*, nous ne *chommes* plus *in*, *ge* crois, a dit Lily en mâchouillant tristement deux ou trois framboises suédoises. *Ch*'est plate pareil, *ge* l'aimais, NOTRE table, conclut-elle, lugubre.

Aujourd'hui, j'ai découvert ce que ça signifie **vraiment**, prendre sa vie en main. Et l'astrologue n'avait rien vu. ⟩**VLAN**⟨ ! **Océane** m'a regardée croche pendant le cours de français. Je ne comprends pas pourquoi. Je lui ai rendu service. Elle va me remercier, un jour. Peut-être seulement au bal de fin d'études, mais quand même...

La prof n'a rien vu. Évidemment. Ses compétences de détective se LIMITENT à déjouer les copieurs de . Je ne lui en veux pas, on ne peut pas être bon en tout !

J'avais presque envie de lui présenter mes excuses, à . J'haïs tellement ça, la **chicane**. J'aimerais que tout le monde m'aime et soit gentil avec moi et avec mes amis. Mais ça ne fonctionne pas comme ça. J'ai appris ça cette année.

À : Lea.sec2@gmail.com
De : Lily43@gmail.com
Objet : Ooo

Tu as été géniale, ma chou. Tu l'as KC comme elle le méritait. T'es trop forte. C'est juste plate qu'ON doive abandonner NOTRE table. C'était à elle de décamper. Grrr !

P.-S. Antoine, trop cool !

Ta chou

À : Lily43@gmail.com
De : Lea.sec2@gmail.com
Objet : Re : Ooo

Je voulais pas la KC. Je voulais qu'on ait la paix. Pour la table, ben, on va apprendre à aimer la NOUVELLE.

Antoine, il est trop… tout !

Ta chou

Antoine a ma défense aujourd'hui. Il n'est pas bavard. Mais quand il parle, ça compte. **Ne**

jamais oublier : pas nécessaire d'insulter quelqu'un pour le **KC**.

16 MARS

– Guillaume, tu t'es déguisé en *NSYNC aujourd'hui ? demande Geoffrion, crampée.

– Qui est *NSYNC, madame ? répond le pauvre Guillaume en **rougissant**.

– Un rappeur qui ne porte pas de ceinture, comme toi ! N'oublie pas ta ceinture demain, mon grand ! conclut Geoffrion avant d'aller égayer la journée d'une autre victime.

Guillaume me regarde. Il ne sait pas s'il doit rire. Si lui, le spécialiste de la **musique** ne connaît pas ce *NSYNC[17], personne ne le connaît. Lily lui a fait un clin d'œil. C'est trop sur la coche !

18 MARS

38 jours avant NYC (c'est **looooong**)

Aujourd'hui, **LABO** de sciences. J'ai pas mon sarrau. Monsieur Sourire est très pointilleux question

---

17. Groupe de musique pop (ce n'est pas un rappeur !) qui s'est séparé en 2002. Justin Timberlake en faisait partie. Geoffrion est tellement dépassée !

vêtements. Pas de sarrau, pas de labo. Mes neurones ~~CHERCHENT~~ désespérément une solution. *Blink !* Aux casiers, vite !

– Antoine, prête-moi ton sarrau, ai-je chuchoté en m'assurant que monsieur Sourire ou son insupportable laborantine n'étaient pas dans les environs.

– Pas de problème. Il va être trop grand. Un peu, là. Pas trop ! me dit Antoine en souriant tellement.

ANTOINE me tend une petite boule de tissu, qui, une fois dépliée, est devenue un sarrau **un peu FROISSÉ**. Pas si grand que ça. J'ai presque pas l'air d'un drapeau battant au vent et j'ai Ze sarrau. Je mime un bisou, vu que Brisebois patrouille le corridor et qu'elle s'oppose encore et toujours aux manifestations sentimentales. Il mime celui qui le reçoit sur la joue. Les bisous VOLANTS ne sont pas encore interdits. Quelle lacune ! **Garde ça en mémoire, Léa** : en faire part au comité de parents. (Je niaise !)

C'est trop bien de porter le SARRAU de son chum. Ça sent lui. Ça va nous porter chance.

– Beau sarrau, Léa. Il est un peu serré, non ? (Sourire dévastateur de mon titulaire préféré.)

Je ne sais pas QUOI répondre ! Je me précipite à ma table pour ne pas rougir.

Raté !

J'ignore si le sarrau **romantique** a influencé mes neurones. Mais je crois que Lily et moi, nous devrions consacrer nos vies à la ⓢⓒⓘⓔⓝⓒⓔ. Nous serions les Marie Curie[18] du XXIe siècle.

J'ai apporté le sarrau d'**Antoine** à la maison pour le laver un peu et pour le dérider beaucoup. Vous auriez fait la même chose à ma place. J'ai demandé à mon père comment **FAIRE**, mais comme il ne sait pas où est la salle de lavage (j'exagère même pas), je ne peux pas compter sur lui pour m'apprendre à utiliser ces nouvelles inventions trop complexes. (Il ne sait pas **UTILISER** un lave-linge[19] ou un fer à repasser ! Et il prétend être le mari chéri de ma mère ? Point un peu négatif. Heureusement que ça ne compte pas dans la cote du week-end. Antoine risque donc d'attendre son sarrau longtemps. Trop triste...

Dans l'autobus, j'ai eu une **IDÉE** à propos de ma **A-Liste**. Je rapporterai le sarrau à Antoine, lorsqu'il aura été lavé. J'ajouterai un petit mot de remerciement dans la poche. *Blink !*

---

18. Scientifique qui a découvert le radium. Pourquoi je sais ça ? Ma mère m'a forcée à lire une biographie rédigée pour la jeunesse l'an dernier. C'est une **femme**, Marie Curie !
19. Je sais. Toutes mes amies et leurs mères disent une laveuse. Ma mère croit que ce mot est dénigrant pour LA femme. Et comme, en France, on dit souvent lave-linge (c'est masculin), zou, c'est devenu le mot chouchou de ma mère.

17~ ~~Offrir la photo d'A et de moi à A~~

18~ Rapporter le sarrau à A

19~ Glisser un petit mot doux dans la poche du sarrau d'A ♡

J'ai dormi avec le sarrau d'**Antoine** roulé en boule contre moi. Presque aussi confortable que mon vieux 🧸 rude, ce sarrau. Aucune

urgence pour retrouver le mode d'emploi du lave-linge.

19 MARS

Papa veut encore passer du *temps de qualité* avec moi. C'est toujours aussi **CLINQUANT** comme idée mais j'aime ça parce qu'il me raconte des histoires de son jeune temps. Même si je les connais pas mal toutes, j'aime ça quand même qu'il me les raconte encore.

Il m'a amenée faire le tour de son ancien quartier. Une sortie père-fille. J'ai vu la maison en brique rouge entourée d'une galerie en bois blanc où il a grandi. (La **CABANE** qu'il a construite avec son frère Jean-Paul est encore dans le vieil érable. C'est comme dans le film *Souvenirs d'été* ! Sauf qu'elle est moins bien conservée !) Le **PARC** où il jouait au **baseball**. (C'était un sport *foule* à la mode dans son temps.)

– T'as eu des nouvelles de maman, cette semaine ?

Sherlock Holmes, sors de ce corps ! Je cherche toujours une explication **logique** au fait que ma mère reste à NYC.

– On se parle tous les jours sur *Skype* ! (H**E**IN ? Mes parents connaissent *Skype* ? Première nouvelle.

Je ne suis pas aussi bonne détective que je croyais.) Pourquoi toutes ces questions, Léa ? Qu'est-ce qui te chicote au juste ? Tu peux tout me di... Hey ! Ti-Miss ! Une poutine de chez Ti-Miss, ça te tente ? (**Ouate de phoque !** Et ses protéines chéries ? On s'en moque ?) Viens ! Tu vas a-do-rer ! Une fois, avec Jean-Paul, on a mangé trois...

Heure du SOUPER. Je n'ai pas faim, à cause de Ti-Miss et de sa poutine. Pour passer le temps, pause astrologie. Je veux savoir si mon plan infernal plaît aux **ASTRES**. Je mets toutes les chances de mon côté. Parce qu'aujourd'hui, je n'ai rien appris sauf que mon père et son frère jumeau étaient vraiment gourmands ! Pas très **brillant**.

Amours : Le soleil brille. **Amitiés :** Vous pouvez compter sur l'aide d'une amie pour mener à bien un projet qui vous tient à cœur. **Finances :** Bon temps pour investir dans l'électronique. **Famille :** Un parent peut compter sur vous. **Santé :** Gare aux sucreries. **Votre chiffre chanceux :** le 2.

Demain, Lily (les sucreries de la prévision) viendra me prêter main-forte pour m'aider dans mon projet familial. OhMonDieu ! Nous serons **deux**, nous aurons de la chance dans tout ce qui TOUCHE l'électronique. Pour le parent dans le besoin, aucun rapport ! L'astrologie, c'est super bon quand on sait lire entre les lignes !

20 MARS

Avec Lily, on a exorcisé l'ordi de ma mère à la recherche d'indices au sujet d'un possible **DIVORCE** J'ai eu envie de **tracer** un cercle de protection (autour de l'ordi, pas autour de Lily !), mais je ne retrouve pas le gros sel et Lulu n'est pas là pour m'aider. On a lu tous les courriels reliés à NYC. **OhMonDieu !** C'était *foule* plate !

Son correspondant le plus populaire ? Machiavel Gendron ! Puisqu'il est ici et elle là-bas, que leurs échanges sont *strictement professionnels,* c'est sur la coche de ce côté-là.

– Léa, là, t'as la preuve. Ta mère ne veut pas divorcer ! Océane a dit ça pour te faire de la peine parce que t'as pas voulu être son amie. Elle la connaît même pas, ta mère. Oublie ça, a conclu Lily.

– Pas de preuve, c'est pas une preuve, ça. Ton esprit scientifique est où ?

– Il reste une chose. Tu vas pas l'aimer… **Fa-ce-book**, a ajouté Lily, sur un ton **comico**-résigné.

– **Facebook ???** Non ! Non ! Non ! Et re-non ! Je ne serai jamais amie avec ma mère sur Facebook. Pour qu'elle corrige mes messages ??!

– Là, tu saurais ce qu'il faut savoir, en temps réel. Pense à ça ! Tiens, deux framboises magiques !

Nous étions **deux** (mon chiffre chanceux !). **Deux** (encore lui) framboises magiques. Rien trouvé. Amie Facebook avec ma mère ? Plutôt MhOuurluuca !

Cote du week-end : ?/10. La visite du quartier de papa ♥♥♥♥♥. La poutine de Ti-Miss ♥♥♥♥. Recherche infructueuse dans l'ordi de ma mère (–). Amie Facebook avec ma mère (je sais, je n'ai pas de parole) 😠😠😠😠😠. Une belle journée de niaisage avec Lily (inestimable).

22 MARS

③④ jours avant NYC

Après l'école, en attendant de monter dans l'autobus. Avec Antoine, on a trouvé un endroit où s'isoler des commentaires **débiles** de Martin et des conseils trop utiles de **PVP**. **Conséquence** : l'autobus scolaire est parti sans moi. Antoine se sentait responsable, vu qu'il me distrayait **un peu**. (Non, on ne s'est pas embrassés comme Harry et Ginny.)

Sa mère, qui l'attendait dans le stationnement, a gentiment accepté de me ramener chez moi. Toutefois, elle m'a regardée très attentivement mais pas crochement, c'est important de le souligner. Ça ne s'est pas amélioré dans l'AUTO. Elle m'observait dans le rétroviseur qu'elle a rajusté pour plus de commodité. (C'est sécuritaire, ça ? Il y a des avantages à regarder en avant **aussi** lorsqu'on conduit ! Mais comme je n'ai pas de permis de CONDUIRE, je n'en suis pas si certaine.)

Elle me questionnait sans arrêt. Aimes-tu l'école ? Oh ! Oui, madame. (*Non, je pense décrocher d'ici la fin de l'année !* Je suis drôle !) Aimes-tu ton quartier ? Oui, beaucoup. On a des trottoirs, vous savez ! (*Léa, tu es nullissime. Tu sors ça d'où, cette idée ? Même Antoine a pouffé de rire.*) Fais-tu du SPORT ? Antoine, lui, n'arrête jamais. Je danse dans une troupe et j'apprends aussi le BALLET, madame. (*Non, je ne patine pas, je ne skie pas, je ne joue pas au soccer parce que le ballon me fait tomber à tout coup et je me casse toujours un ongle.*) Antoine collait son genou contre le mien et me souriait si fort qu'il lisait probablement dans mes pensées. Je crois que l'admiration sans borne que je porte depuis aujourd'hui aux trottoirs de mon quartier l'a beaucoup amusé.

À la danse. On fignole la chorégraphie. Le professeur me complimente sur mes lignes qu'il trouve très gracieuses. (Non, je n'ai pas rougi parce que je ne ROUGIS pas lorsque je danse.) Bon point. Il me demande de me placer sur la dernière ligne parce que je suis plus grande que les autres. Pas lui aussi ! Je pensais qu'à la danse, j'avais le droit d'être grande. Qu'une DANSEUSE grande, c'est beau et gracieux. C'est tellement beau qu'on me cache en arrière ? Les adultes ne sont jamais contents. Puis il annonce qu'il faudra vendre des billets pour le SPECTACLE de fin d'année. Je sais qui inviter !

De retour à la maison. Je mange un MUFFIN aux **bananes** et je vérifie si j'ai des courriels. Antoine m'a écrit. Yé ! Il a bien ri de ma passion pour les trottoirs. Moi aussi ! J'aime ça, quand on rit ensemble. Pendant que je ris, mon cerveau qui peut faire deux choses à la fois sans problème me rappelle que je dois inviter **quelqu'un**. À ce quelqu'un, j'ai demandé s'il est libre le 7 mai. *Ouiii !* Reste à l'inviter maintenant. Pourquoi je ne lui ai pas demandé tout de suite ? Et ma A-Liste ? KC !

24 MARS

3 2 dodos avant NYC (trop long !)

Ce midi, Lily, Sabine et moi allons encourager l'*équipe* de basket, ce qui n'est pas reposant. J'ai crié à chaque panier compté par Antoine et il en a fait vingt. (Je regrette le *cheerleading*. Je pourrais agrémenter mes cris de mouvements endiablés.)

La partie finie, la **STAR** m'embrasse sur la joue – vous savez pourquoi – pendant que Jérémie est aux prises avec deux admiratrices, des secondaire trois ! Sabine ne réagit même plus. On dirait que ça ne la dérange plus, les stupides comportements de son « **A.M.O.U.R.E.U.X.** ». Elle jase avec Lily. Les gars, Martin en tête, imitent le gazouillis des **oiseaux**. Je rougis et je cherche une réplique spirituelle à lancer.

– Les gars, vous êtes tellement immatures !

C'est la seule réplique **cinglante** que j'avais en stock. Navrant !

Dans le bus. J'ai fait remarquer à Lily que Jérémie se comporte encore comme si Sabine n'était pas sa blonde. **PVP** était tellement attentif, prêt à conseiller Sabine par amies interposées (nous !).

– *Bieber*, c'est *Bieber* ! On le changera pas. Veux-tu des **framboises**, Philippe ? demande Lily en donnant un coup sur ma jambe droite.

– Je te remercie, Lily ! Pour Sabine, là, Jérémie est un crétin ! laisse tomber **PVP** avant d'engloutir ses framboises, ce qui l'oblige à se TAIRE pendant au moins quarante-cinq (trop) courtes secondes !

Ouate de phoque ! Va falloir apprendre le langage des **SIGNES** si on veut avoir la paix !

Lily est avec moi, dans mon sous-sol *miteux* mais chaleureux. On se fait un marathon de films qui mettent *Enceew Cycocrck* en vedette. Je prépare mon voyage avec sérieux. Lily me conseille. Bon, elle n'est jamais allée à New York, mais c'est un détail pas trop important, je pense. Elle a vu tous les films qui comptent !

– Ma chou, ton guide de voyage est **tellement** pas rapport.

– Ah bon ?

– Il parle même pas du Dylan's Candy Bar ! Te fie pas à ça !

En disant ça, Lily fait les gros yeux. Rapport ? Dylan's Candy Bar est déjà sur ma **LISTE** !

Lily m'ordonne de noter le Chrysler Building dans mon cahier. Et l'Empire State Building. Elle me fait aussi remarquer que dans le film *Il était une fois*, Gisèle traverse le pont de Brooklyn à pied. Ça, c'est une idée **BRILLANTE** !

Sauf que la princesse Gisèle portait une longue robe blanche pour traverser le pont. Presqu'une robe de mariée. C'était vraiment *beau*, mais franchement exagéré. On ne visite pas une grande ville comme New York en robe blanche et en talons hauts. C'est trop encombrant ! En tout cas...

Léa à NYC

* Aller chez FAO Schwarz. Sauter sur les notes du piano géant (comme dans le film *Big* !)

* Dylan's Candy Bar (ne pas oublier un cadeau délicieux pour Lily et des fraises Tagada)

* Central Park (comme la princesse Gisèle dans *Il était une fois* et Jenna Rink dans *13 ans, bientôt 30*)

* Times Square (comme la princesse Gisèle dans le même film que tantôt)

* Me faire photographier devant la boutique Henri Bendel sur la 5ᵉ Avenue (la boutique-culte de Beckie dans *Confessions d'une accro du shopping*)

* Attention aux publicités portées par le vent sur la Cinquième Avenue (elles sont remplies de surprises)

* Aller au Madison Square Garden

* Me faire photographier devant le Madison Square Garden pour Antoine (*Blink* !)

* Photographier le Chrysler Building

* Monter au sommet de l'Empire State Building

* Traverser le pont de Brooklyn à pied (comme la princesse Gisèle, blablabla)

Cote du week-end : 8/10. NYC ♥♥♥♥♥♥♥.
Lily ♥♥♥. Le retour prochain de Lulu ♥♥♥.

29 MARS

2️⃣7️⃣ jours avant NYC

À la danse. Séance d'essayage des costumes. Je porte une **JUPE** noire, évasée. Quand je tourne sur moi-même, elle tournoie dans les airs. Mon chandail rose est vraiment chic. Là, il faut que j'arrête de gigoter parce que la costumière **pique** des épingles dans la jupe pour l'ajuster comme il faut. Si je **bouge** trop, elle va me piquer. Tiens, Laurie est là, aujourd'hui ? On ne sera pas obligées de tout reprendre à cause d'elle ! Si elle comprenait du premier coup, aussi, ça nous arrangerait.

Je veux qu'**Antoine** me voie danser. S'il ne sait pas quand aura lieu mon spectacle, il ne pourra pas venir, c'est tellement évident. Je sais qu'il ne fait rien le 7 mai ! J'ai sorti mon carnet tout choupinet. Ça fait longtemps que je ne l'ai pas appelé à l'aide. (Bon, je ne crie pas « À l'aide » en regardant ma A-Liste. C'est une façon de parler.) Je gribouille un peu. Période d'échauffement pour mes neurones qui préféreraient dormir. Je réagis comment, s'il refuse ? Léa, arrête d'inventer des scénarios invraisemblables, tu vas influencer l'Univers. Il ne refusera pas. C'est Antoine. Ton amoureux au sourire trop beau. **OhMonDieu !** Vite, j'écris mon idée sur ma A-Liste et j'éteins ma lampe.

17~ Offrir la photo d'A et de moi à A

18~ Rapporter le sarrau à A

19~ Glisser un petit mot doux dans la poche du sarrau d'A

20~ Inviter A à mon spectacle de danse

Tu lui demandes d'ici deux jours, max, Léa. Va te coucher. Il est tard, là. Tu ne veux pas avoir les yeux *foule* **cernés** pour l'inviter à ton spectacle. Les danseuses n'ont jamais les yeux cernés. Tout le monde sait ça.

1er AVRIL

– Test surprise ! Rangez vos cahiers. Prenez une feuille.

Le **PROF** de sciences est vraiment dedans, ce matin. J'entends renifler derrière. Lily me fait notre signe secret désespéré. Je reste **zen**. Personne n'a révisé pendant le week-end. Enfin, MOI, je n'ai pas beaucoup révisé. J'ai une vie maintenant.

– Dernière question : D'où vient le vent ?

De dehors, je pense. (J'ai vraiment « trop » révisé. Ça m'a rendue spirituelle.)

– C'est fini. Faites passer votre feuille vers l'avant.

Monsieur *Baboune* jette un coup d'œil à nos réponses qui n'ont vraiment pas l'air **renver-zantez** (renversant ? Ça sonne assez mal. Renversantes.). Il fait une belle pile bien droite avec toutes nos feuilles, ça fait vraiment propre. Il agrippe sa pile puis il la **DÉCHIRE**.

Nous sommes enfermés dans un **LOCAL** en compagnie d'un fou furieux. Ça fait peur.

– **Poisson d'avril !**

J'avais raison. Nous sommes séquestrés avec un fou furieux.

– Prenez votre cahier de notes, nous abordons la **reproduction humaine**.

Ouate de phoque ! Connaissant **PVP** et ses centaines de questions nulles, ça risque pas de s'améliorer. À méditer rapidement : Est-ce que j'aurais l'air trop débile si je PLAQUAIS mes mains sur mes oreilles et que je chantais *Au clair de la lune* à tue-tête lorsqu'il abordera des sujets trop intimes ? **Résultat de ma turbo méditation :** Trouve autre chose, Léa.

Tout s'est bien passé finalement. **PVP** n'a presque pas posé de questions embarrassantes au sujet de vous-savez-quoi et lorsqu'il l'a fait, le prof l'a neutralisé, comme l'aurait fait un super-héros. Cours très **divertissant** finalement.

2 AVRIL

LULU est revenue de sa croisière dans les Caraïbes. Elle a perdu son teint d'aspirine et elle sent bon le soleil. Elle a un large *sourire* et elle chantonne tout le temps. Il faut que j'ouvre l'œil. Elle n'a pas l'air normal.

Après l'excellent repas préparé par mon papa – il a fait sa SAUCE à spag secrète et vraiment trop bonne –, Lulu a procédé à sa distribution rituelle de cadeaux. Un paréo pour moi – rose vif et vert **POMME** (elle connaît tellement mes goûts) ; une aquarelle pour ma mamounette ; des sandales (très chic) pour mon papa plutôt distrait qui en a égaré deux paires l'an dernier seulement.

Je pense qu'il devrait écrire son nom dedans... Je le lui ai suggéré gentiment. Ça l'a un peu insulté. Lulu m'a appuyée, il lui fait honte quand il est perdu. Imaginez comment je me **sens**. C'est **mon** père et j'ai hérité de **50 %** de ses gènes. Je le sais. On étudie ça en sciences. Après avoir consolé son fils, Lulu a continué sa distribution.

Elle a rapporté des **bonbons** à Lily ! Des *saltwater taffy*. Je ne l'appelle pas **SUPER** Lulu pour rien.

3 AVRIL

Avec Lily, je vais éplucher le compte Facebook de ma mère. Je trouverai peut-être des indices. Au sujet de ce qu'**Océane** a insinué. Ma mère qui songerait **peut-être** à demander le divorce. Plus j'y pense, plus je crois que Lily a raison !

LULU prépare des sablés au thym citron et aux pétales de rose. Difficile de se concentrer sur notre enquête quand ça sent aussi bon dans la cuisine. Lily n'arrête pas de **GIGOTER**. Trop dur, le métier d'espionne !

Bon. Qui sont les **amis** de ma **nouvelle amie** Facebook ? Andrew, Machiavel Gendron (ami est un bien grand mot dans son cas), Hillary Clinton, Michelle Obama, d'autres inconnus et **moi**.

Nous avons lu en anglais pendant tout l'après-midi, en mâchouillant des *saltwater taffy* qui nous ont mises dans l'**AMBIANCE** américaine.

– Léa, es-tu contente ? a ajouté Lily, la bouche pleine de *taffy* collants. Elle **travaille** à NYC. Tourne la page, ma chou.

– T'as raison. Océane est « juste » pas rapport. C'est sa vie à elle qu'il faudrait observer à la loupe, ai-je conclu, fatiguée. Et toi, quoi de neuf ? ai-je demandé à Lily qui est assez secrète dernièrement.

Je respecte ça, là !

– De quoi tu parles ? **MARMONNE** Lily.

– De *Bieber* ! Tu me dis plus rien !

– Qu'est-ce que tu penses ? C'est parce que j'ai rien à raconter ! Je t'ai dit qu'on joue à Tetris ensemble sur Facebook. IL. EST. IMBATTABLE. Ça m'énerve. Il est tellement rapide. Hier soir, t'aurais dû le voir, il a...

Ils jouent à **Tetris** ? **Ouate de phoque !** Je suis une espionne tellement mauvaise. À **rayer** de la liste des métiers-que-je-pourrais-faire-quand-je-serai-atteinte-d'adultite-aiguë.

– Y a une chose qui m'étonne ! Sabine a même pas l'air triste ! Ça, c'est nouveau ! ai-je répliqué à Lily.

– Sabine ? Elle scrapbooke des photos pendant qu'il joue à Tetris ! C'est super beau, ce qu'elle fait ! En tout cas, d'après ce que je vois dans la webcam, là.

Ouate de phoque !

Cote du week-end : 9/10. Le retour de Lulu ♥♥♥♥♥. Facebook ♥♥♥. Lily ♥♥♥♥. Les doutes qu'Océane a implantés dans ma cervelle *foule influençable* 😫😫😫😫😫. New York dans 22 dodos ♥♥♥♥♥♥♥.

Vous avez bien lu. 22 dodos. OhMonDieu ! C'est encore si loin.

LE POINT SUR MON ENQUÊTE : *Nossing.*

LOVE

Où il est
question de la
Grosse Pomme

À notre NOUVELLE table. Tout le monde parle du VACCIN Gardasil, ce midi. Et ce sont les filles de secondaire **trois** qu'on **tortuuure**, aujourd'hui. Croyez-vous que c'est le signe trop évident qu'on n'a pas de vie, cette conversation pas rapport ? (Pas besoin de répondre...)

– Moi, je refuserai le vaccin. Je veux pas mourir sur un matelas de gym qui sent les pieds. Je mérite mieux !

– Martin, le Gardasil, c'est juste pour les filles ! lui rappelle Lily en riant. Ben, je pense... Hein, *Bieber* ?

Jérémie ne répond rien. Lily a ajouté que Ginette *capote* parce que son héritière – notre Lily – aura le droit de décider seule. Elle craint qu'une malédiction ne s'abatte sur Lily si elle prend sa vie en main ? Elle la connaît mal !

– Je pense que je vais faire comme toi, Martin. RE-FU-SÉ ! a ajouté ma *BFF*.

Sabine a divisé une FEUILLE de cartable en trois SECTIONS. Pour rire, elle a écrit Martin dans la colonne **Non** (???). La colonne **Indécise** et la colonne **Oui** sont toujours vides. Lily tente de poser une question à Sabine qui la regarde très *croche*, sans raison.

– Lily, est-ce que je veux connaître ton opinion ? Euuuh ! Je ne pense pas ! dit Sabine, très fâchée sans qu'on comprenne pourquoi.

– Tu sais quoi, Sabine ? Je m'en fiche de ta liste pas rapport ! a répliqué Lily en engloutissant sa millième framboise suédoise de l'année.

– Toi, Léa ? Je mets ton nom où ? Ta mère a dit quelque chose ? me demande Sabine pendant que Lily regarde Jérémie qui joue avec sa FOURCHETTE.

– Moi, mon nom irait super bien dans la colonne **Non**, si Sabine voulait l'écrire. Ah ! Elle aimerait mieux le **scrapbooker**, peut-être !!! KC !!! a lancé Lily en mimant le célèbre *baby* casse.

Sabine a rougi pendant que Jérémie SE TAISAIT. **Ouate de phoque !** Sabine et Lily ont attrapé le VIRUS de la rage.

– **Sabine !** Pour répondre à ta question, ma mère veut que je prenne **ma** décision. Elle dé-tes-te les *suiveux* (en fait, elle a plutôt dit moutons de Panurge, pas *suiveux*. Je ne vais pas prononcer le mot Pa-nur-ge devant mes amis. Je ne sais même pas ce que ça veut dire !). Écris mon nom dans la colonne du milieu, ai-je suggéré en parlant trop vite.

Au moment où je dis ça, Océane passe près de notre NOUVELLE table et elle toussote trop fort pour que ça ait l'air normal. Tu vas couler art dram' si ça continue, Océane. Va donc aux toilettes voir si on y est !

Enfin à la danse ! Nous apprenons le second numéro. Le *Fantôme de l'opéra*. Ouiiiii ! Je suis capable de danser en couple, moi ? Il faudra qu'on soit tellement complices. Les mouvements de cape. Le  du fantôme ! C'est trop beau. Le prof me regarde d'un drôle d'air, puis me fait un  étrange. Quoi encore ?

– Laurie ? (Il regarde son plan.) Tu danses avec Léa ! ordonne le professeur sur un ton qui n'acceptera aucune réplique. Placez-vous ICI, devant moi !

Ouate de phoque !!!!! C'est pire qu'à l'école. Laurie est si contente de danser avec moi, on dirait qu'elle va s'**ÉVANOUIR**. Je ne lui fais pas le bouche-à-bouche si ça se produit ! Pas question !

Dans ma chambre. J'écoute la **MUSIQUE** du *Fantôme de l'opéra* en boucle. Je pense à Sabine. Ce n'était pas mon premier choix de pensée. Si j'avais eu le choix, j'aurais pensé à **ANTOINE**. Ou à Lily ! Lily ! A+...

À : Lily43@gmail.com
De : Lea.sec2@gmail.com
Objet : Ce midi

Sabine, pas contente ! Je comprends pas sa réaction. Trop courageux, Jérémie !

Ta chou ☹

À : Lea.sec2@gmail.com
De : Lily43@gmail.com
Objet : Re : Ce midi

J'AI. LE. DROIT. D'ÊTRE. AMIE. AVEC. *BIEBER*.

Ouf ! Ça fait du bien !

Ta chou ! ;-)

À : Lily43@gmail.com
De : Lea.sec2@gmail.com
Objet : Ouais

C sûr que t'as le droit !

Mais lui, c'est pas un super-héros.

Ta chou ! ;-)

À : Lea.sec2@gmail.com
De : Lily43@gmail.com
Objet : Re : Ouais

C vrai ! Mais tu C pas tout ;-)

Ta chou ! ☺

Je ne sais pas tout ? Pas de problème ! Mais je savais que la *Bé-effe-effe-ferie* de Lily et Jérémie causerait des **PROBLÈMES**.

J'oubliais ! *Le Fantôme de l'opéra*. Le prof a vu le ~~spectacle~~ à NYC. Il m'a dit :

« **OhMonDieu** ! **VAS-Y !!!** » Ça me fait penser à un autre conseil que j'ai reçu cet après-midi. Dans le bus, **PVP** m'a conseillé de visiter au moins mille musées à NYC. Beaucoup de choses à écrire sur ma liste, ce soir !

Au sujet de **PVP**, des musées et de NYC. Il y a des conseils qu'on suit. Et d'autres qu'on évite de suivre pour ne pas **mourir** d'ennui !

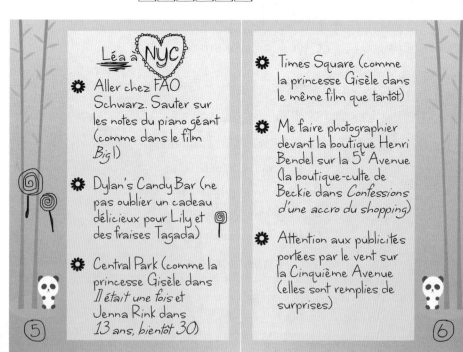

Léa à NYC

❀ Aller chez FAO Schwarz. Sauter sur les notes du piano géant (comme dans le film *Big* !)

❀ Dylan's Candy Bar (ne pas oublier un cadeau délicieux pour Lily et des fraises Tagada)

❀ Central Park (comme la princesse Gisèle dans *Il était une fois* et Jenna Rink dans *13 ans, bientôt 30*)

⑤

❀ Times Square (comme la princesse Gisèle dans le même film que tantôt)

❀ Me faire photographier devant la boutique Henri Bendel sur la 5ᵉ Avenue (la boutique-culte de Beckie dans *Confessions d'une accro du shopping*)

❀ Attention aux publicités portées par le vent sur la Cinquième Avenue (elles sont remplies de surprises)

⑥

⑦

❀ Aller au Madison Square Garden

❀ Me faire photographier devant le Madison Square Garden pour Antoine (*Blink !*)

❀ Photographier le Chrysler Building

❀ Monter au sommet de l'Empire State Building

⑧

❀ Traverser le pont de Brooklyn à pied (comme la princesse Gisèle, blablabla)

❀ Aller voir *Le Fantôme de l'opéra*

❀ Ne <u>pas</u> franchir la porte d'un musée !

7 AVRIL

– Bon. Je sais que vous attendiez ce mémo avec impatience. La danse du printemps se tiendra le 6 mai. Les billets sont en vente à la vie étudiante. Demandez madame Carouby. (Clap ! Clap ! Clap !)

Lunettes bioniques est impuissant malgré ses efforts pour pétrifier les dissidents d'un coup d'œil meurtrier. Ses lunettes ont perdu leur pouvoir magique. Il devrait consulter rapidement son opticien.

Enfin, je vais pouvoir **danser** avec Antoine. J'AIME ces mémos. J'aime mon école ! J'aime madame Brisebois ! OhMonDieu ! Mes neurones disjonctent !

– Probabilités et statistiques ! En équipe de deux, vous faites les problèmes ! Si vous avez des questions…

Le prof de math a un talent incontestable pour crever les bulles. Elle était rose scintillant, ma bulle. Je me dépêche pour que PVP ne me kidnappe pas et je fais équipe avec Karo. Elle est perdue, mais on peut jaser pendant qu'on fait les exercices. Elle me raconte les aventures de son hamster obèse. Moi ? Je l'écoute. Tellement DISTRAYANTE, cette fille. C'est une qualité essentielle pour survivre au cours de math. Je me retourne. PVP est avec Océane. Il fait tellement pitié !

À notre NOUVELLE table, tout le monde parle en même temps de la danse. Antoine m'a fait un clin d'œil. Je lui en ai fait un. Blink ! Même plus besoin de ma A-Liste.

– On se rejoint où, le soir de la danse ? a demandé Sabine à Jérémie.

Silence autour de la table ! DRAME en vue ! Du calme ! Sabine veut aller à la danse avec son chum. Toutes les filles comprennent ça ! Je connais au moins un gars qui comprend ça aussi !

Tout le monde a les yeux tournés vers Jérémie. (Un troupeau de belettes !) **Il doit demander la permission ! Ouate de phoque !** Mes oreilles hallucinent ? Depuis quand il a besoin de la permission de son père pour sortir avec sa blonde, lui ?

Un instant ! Ça a l'air de ça, le printemps rock'n'roll d'Uranus prédit par mon cyber-astrologue ? Je pensais qu'il parlait du thème de la danse du printemps, moi. **BEN QUOI**, c'était pas clair, sa prédiction.

J'essaie de faire de la télépathie avec Sabine, mais les lignes cosmiques sont **achalandées**, ce midi. En tout cas, elle n'a pas l'air de recevoir mon message trop clairement. Elle a juste l'air **perdue** (ou perdu ? Non, très perdue.). Un petit conseil cosmique : ferme ta bouche, Sabine ! Et la prochaine fois que tu auras quelque chose d'aussi important à formuler, n'oublie pas tes faux **cils** bioniques !

Je pousse ma jambe parce que Lily va certainement m'avertir sous la table. Aïe ! Message bien reçu. STOP ! Décodage en cours. **STOP** !

Trois sens cachés à ce mystérieux coup de pied :

○ Lily voulait que je remarque que Jérémie n'a pas évolué depuis la danse de l'automne ? (Elle a raison. Il est encore pire !)

○ Jérémie a dit quelque chose de super pas rapport pour un gars en « amour » ? J'avais relevé, moi aussi.

○ Lily comprend qu'il est en train de rompre devant toute la *gang* ? (C'est évident et, vraiment, c'est pas la place !)

Conclusion : MESSAGE totalement indéchiffrable. STOP !

– Merci beaucoup, Lily, a dit Sabine en retenant ses **larmes**.

Qu'est-ce que Lily a à voir là-dedans ? C'est pas juste ! C'est la faute de Jérémie ! Il n'a pas changé. Il est archi nul depuis la danse de l'**AUTOMNE** !

– Guillaume, on se rejoint chez toi avant la danse ? propose Martin.

– C'est sûr ! Lily, tu viens chez nous avant la danse, toi aussi ? a dit le charmant Guillaume.

OhMonDieu !

– *Yesss !* a répondu Lily en dansant.

OhMonDieu ! YOUPI !!!

– Lily, j'ai vraiment besoin d'aller aux... **tu-sais-où. Vi-te !**

– **J'arriive !**

Pas besoin de le souligner ! J'avais décidé de ne plus annoncer publiquement que j'allais à la salle de bains parce que c'est bébé. **OhMonDieu !** Est-ce qu'Antoine va croire que j'ai un grave problème **INTESTINAL** ? (**Beur-ke !**)

– Lily, qu'est-ce qu'on fait, pour Sabine ?

– Il n'y a rien à faire. En tout cas, moi, je m'en mêle pas ! répond Lily.

– QUOI ? TU LES LAISSES TOMBER ?

– Je suis les conseils de ma *BFF*, comme. Je me mêle de mes affaires !

Je suis faite, genre ! Elle m'a répété ce que je lui ai dit au téléphone, le lendemain de la danse de l'automne ! Difficile de l'obstiner...

– Laisse donc faire, d'abord. Avoue au moins que *Bieber*, c'est pas sa meilleure !

La **PORTE** s'ouvre avant que Lily ait eu le temps de répondre. Franchement, Geoffrion aurait pu patienter quatre secondes de plus. Ça ne l'aurait pas fait **MOURIR** !

– Si vous avez fini, sortez. Ce n'est pas un *Salon étudiant* ici...

Ô joie ! La blague *poche* en prime ! Je **TOUSSE** pour ne pas éclater de rire. Je me dirige vers la sortie en toussant. Je pense que j'exagère un peu sur la toux, mais c'est incontrôlable, je le jure.

– Lily, amène donc Léa à l'infirmerie. Elle n'a pas l'air très en forme. Elle fait de l'asthme, je pense, non ?

Oui, je fais de l'**ASTHME**, mais pas en ce moment précis. J'aurais plutôt besoin de framboises suédoises pour me remettre de mes émotions. Le cours d'ECR ne va rien arranger. La journée est vraiment étrange.

À la maison. Je termine mon devoir **supplémentaire** de français. J'ai eu trop de fous **RIRES** pendant le cours au goût de notre prof qui est allergique au bonheur. Pas grave. L'accord des adjectifs de couleur, je comprends ça *foule* bien. Il est pas difficile le devoir, juste **trooop looooong**.

Lily m'a téléphoné. (Elle aussi, elle a écopé d'un devoir **anti-joie de vivre**. Vraiment trop sérieuse, cette prof.) On a fait notre devoir **ENSEMBLE**. (Pas de panique. C'est permis par le code de vie. Confirmé par nulle autre que Brisebois, l'automne dernier !) Oui, au téléphone, en écoutant *Les frères Scott* ! (Est-ce qu'on écrit des **SOULIERS** noisettes ou des souliers noisette ? Moi, je dirais des souliers bruns, comme ça, je n'aurais pas à répondre à cette question trop difficile. Sauf que Miss-je-déteste-les-gens-trop-heureux n'aimera pas que je corrige son exercice même s'il est vraiment mal conçu. Alors, je vais me calmer. Mais avouez : qui dit ça, des souliers **NOISETTE** ?!!? Encore un exercice si utile.)

Pendant qu'on se penche sur le cas de souliers à la couleur pas rapport, et que Brooke se chicane avec Julian (Brooke est **stupide**, des fois !), on en profite pour jaser un peu. Lily, **ma** Lily, celle qui donne des conseils *foule* éclairés et qui voit clair quand personne ne comprend rien, se questionne encore sur les intentions de Jérémie à propos de Sabine.

– Léa, lirais-tu mon horoscope ? Je sais pas, je trouve pas ça clair du tout. Je suis peut-être mêlée, hein ?

Mêlée ? Lily est en effet mêlée comme un jeu de **cartes** ! C'est mon père qui dit toujours ça en se trouvant terriblement **comique**. Pourquoi mes neurones ramènent cette blague *pochissime* à la surface de mon cerveau ? (Je vais rougir si je ne trouve pas une autre idée moins NOUILLE. Comparer ma *BFF* à un jeu de cartes, c'est vraiment nul !)

C'est moi qui dois éclairer Lily au sujet du sens secret des prévisions de **son** astrologue ? Elle devrait demander directement à Jérémie mais...

OhMonDieu ! Faut que je sois brillante **et** vive **et** éclairée. Bon. Pour les Scorpions, que se passe-t-il ?

Amours : Feu vert sur vos rendez-vous ! Mais ne demandez pas la lune ! **Amitiés :** Vous pouvez faire confiance à un Gémeaux ou à un Lion. **Finances :** Ne gaspillez pas vos économies pour acheter des babioles. **Famille :** Il y a un projet de voyage dans l'air. Santé : Mangez plus de légumes verts, c'est bon pour le cœur. **Votre chiffre chanceux :** le 5.

Une seule évidence ! Je suis le Gémeaux de la prédiction. Lily doit me faire confiance. Bon, pour les finances, toujours sans rapport. Lily a bien fait d'accepter l'invitation de Guillaume, cyber-astrologue lui donne même le f e u vert. Mais elle ne doit pas s'attendre à grand-chose de cette soirée. Ça va être plate ? Zut ! Une solution ? Elle mange des légumes verts parce qu'ils sont bons pour le cœur ? Comme je la connais, ça va l'achever ! La seule chose qui est claire, c'est qu'elle doit me faire confiance à **moi**. Et **moi**, je suis aussi mêlée qu'ELLE... Si j'avais quelques framboises (vertes peut-être ?) sous la main...

– Bon. Une chose est claire. Tu dois m'écouter parce que je suis Gémeaux.

– Je t'écoute, ma chou.

– Tu as bien fait d'accepter l'invitation de Guillaume. Mais ne t'attends pas à grand-chose de cette soirée.

– ...

– Quand il parle du cœur, il parle de tes amours. Pas de ta santé. (Je lis **ENTRE** les lignes...) Et le vert, c'est l'espoir. C'est ça. Garde espoir ! (Réplique géniale !)

– Ah ouais ???

– Tu vas trouver la réponse à toutes tes questions pendant un voyage en avion. Il parle de la Lune et de l'air. C'est la seule interprétation logique !

– T'es certaine de ce que tu dis ?

– Non ! ai-je répondu, en pouffant de rire.

– C'est pas clair, hein ?

– Nooon ! Salut !

8 AVRIL

À notre NOUVELLE table. Lily rumine des framboises suédoises **vertes**. Elle essaie de respecter la prédiction de son astrologue, en tenant compte de son besoin de GLUCOSE. Elle fait ce qu'elle peut ! Elles sont quand même **vertes** !!

Les gars jouent au . Sabine a suivi Jérémie pour l'encourager !!! Je ne suis pas une féministe *bollée* comme ma mère, mais franchement, Sabine devrait ouvrir les yeux.

À la récré. Je rejoins Antoine à sa case. Je lui remets son sarrau et je lui suggère de regarder le petit mot que j'ai caché dans la poche ce soir parce que là, la cloche va sonner. Il rougit, puis saisit le billet et le glisse dans la poche de son PANTALON.

– Au cas où le cours d'espagnol serait plate, dit-il en me faisant un clin d'œil trop chou.

– Antoine, j'aimerais ça que tu viennes voir mon spectacle de danse. C'est le 7 mai...

– Compte sur moi ! Moi, j'aimerais aller au cinéma samedi. Viens-tu avec moi ?

– Ouiiii. Quel film on va...

La cloche SONNE. On est toujours pressés, c'est pas possible !

Dans le bus. **PVP** veut savoir si Jérémie a pris sa décision, pour la danse. **Ouate de phoque !** On n'a plus de vie privée ! J'essaie de le faire taire par la seule force de mon . Conclusion : le vendredi après-midi, mon mental est à zéro !

Où est mon stylo rose ? (Mental sous zéro !) Trois points à raturer ce soir. Je suis trop E*F*F*I*C*A*C*E* !

17~ Offrir la photo d'A et de moi à A

18~ Rapporter le sarrau à A

19~ Glisser un petit mot doux dans la poche du sarrau d'A

20~ Inviter A à mon spectacle de danse

Et Antoine m'a invitée au CINÉMA demain soir ! Ma A-Liste est devenue inutile ? Meuh nooon !

9 AVRIL

16 dodos avant NYC (Le temps a suspendu son vol.)

Mon père m'a déposée au centre commercial, où m'attendait Sabine. J'espère qu'elle n'insistera pas pour obtenir des conseils éclairés de ma part. Je ne sais pas si je saurais quoi lui dire. À part que l'infirmière et sa GLACE magique sont là pour ça.

Sabine est là, elle **sautille** en riant et on part. Elle avait besoin de se confier. Pas d'acheter un nouveau BIKINI, mais le rose à pois blancs qu'elle a choisi lui va très bien ! Surtout que Sabine, elle a une poitrine qui va bien avec son bikini. Moi ? Ma poitrine virtuelle convient parfaitement à mon Speedo de compétition !

Elle n'est pas sotte, Sabine. Elle voit bien que, si Jérémie hésite à l'inviter à la danse, c'est *foule* ANORMAL. (Elle commence à saisir ce qu'on a compris à la danse de l'automne ! ENFINNN !) Mais elle a envie de se mettre confortablement la tête dans le sable tout chaud. (OUACHE !) Avec son nouveau bikini, elle sera tout de même chic !

Ne me demande pas ce que j'en pense, Sabine. (Je ne connais même pas ton signe !) Ne me demande surtout pas ce que j'en pense... Ne me demande...

– Léa, qu'est-ce que t'en penses ? lance ma belle autruche, entre deux gorgées de chocolat **CHAUD** brûlant, chapeauté de mousse-de-lait-saupoudrée-de-cacao-**non**-pas-de-cannelle-madame-merci.

Mes neurones *diaboliques* qui se cachent dans un recoin très poussiéreux de mon esprit me suggèrent la réponse que ma mère lui ferait. (**OhMonDieu !**) Mes gentils **NEURONES**, eux, me suggèrent la réponse que Sabine veut entendre. Vous comprenez que, moi, Léa, je suis **COINCÉE** entre deux clans. Et c'est pas tout. Lily juge que Sabine ne convient pas à *Bieber* ! Trop in-con-for-table !!! Faut choisir et moi, ce n'est pas ma force !

– Je sais pas, Sabine. Écoute ce que ta petite voix *achalante* te dit.

Je m'améliore **trop** ! Je pourrais être psy. À conserver sur la liste très courte des métiers qui conviennent à ma personnalité.

– Y en a pas juste une ! (OK, les neurones, on essaie de s'entendre tout le monde !) Qu'est-ce que je fais ? dit Sabine, mêlée comme vous-savez-quoi.

Je la comprends tellement. Ce **POSTE** de radio allumé dans notre tête, pas possible de l'éteindre ou de changer de poste quand on veut. À moins d'agir...

– Écoute celle qui s'époumone d'abord. C'est elle qui a raison, lui ai-je répondu, l'*A I R* de savoir vraiment de quoi je parlais.

J'espère teeellement avoir raison !

– Léa... (Non-non-non, ne me demande pas ça...) Lily, elle est en  avec **mon** Jérémie ?

– Je pense qu'ils sont juste des amis, Sabine !

– ...

Une chose *difficile* quand on est psy : garder les secrets que nos « clients » nous ont confiés. Je ne dois pas répéter à Lily ce que Sabine m'a dit aujourd'hui. Pas plus que j'ai répété ce que Lily m'a confié. To-ta-le-ment épuisant !

10 AVRIL

1 5 dodos avant NYC

Hier soir, je suis allée au cinéma avec Antoine. On a vu un F I L M de super-héros... On s'est collés (Ouuh !) mais ne s'est pas embrassés (sniff !). Son ami Mehrad nous a repérés et s'est assis avec nous sans demander la permission !!! Un p o t de colle qui n'a pas de vie !

À la sortie du cinéma, pendant qu'on attendait nos parents, Mehrad parlait de son école. Il est inscrit dans le mirifique programme tennis-études. Les **YEUX** d'**Antoine** pétillaient comme des bonbons Pop Rocks. Il a posé des dizaines de questions (en fait, trois) à Mehrad. C'était plate, parler de l'école un samedi soir. Une chance que mon père est arrivé. J'ai donné un  sur la joue d'Antoine en me concentrant pour que Mehrad soit télétransporté sur la planète **URANUS** qui nous cause tant de problèmes en ce moment. Mehrad était toujours là quand j'ai rouvert les yeux. (Technique à mettre au point.) Je l'ai salué même si mon mauvais sort a échoué.

♥ 💀 ♥

LULU est chez elle. Elle se repose de nous, je crois. (Ou bien, elle a une double vie. Je dis n'importe quoi, là. Il n'y a que les agents secrets qui ont une double vie. Lulu ! Agent secret ? Mouaaah !)

P.-S. J'ai raconté ma soirée cinéma à Lily. Mehrad, le programme **TENNIS**-études et la réaction « pop rocks » d'**ANTOINE**. Elle a ri, elle adore ces bonbons-là aussi.

Cote du week-end : 4/10. Magasinage avec Sabine 💀♥💀♥💀♥💀♥💀♥. Soirée cinéma avec Antoine ♥♥♥. Mehrad et le tennis 💀💀💀💀💀. Les super-héros (–).

7 mignons petits dodos avant vous-savez-quoi

Mon père est à NYC aujourd'hui, par affaires et par **AMOUR** ! J'avais écrit à ma mère pour lui dire que j'en avais ras-le-bol de toute cette **PLUIE** qui s'abat sur nous. Qu'est-ce qu'elle m'a répondu, vous pensez ? (Je vous jure, vous ne trouverez jamais !) **Les pluies d'avril font les fleurs de mai.** J'aimerais qu'elle cesse de me remonter le moral avec des dictons plus *poches* que *poches*. Si elle dit des trucs nuls comme ça à mon père, il ne va pas s'éterniser à NYC.

Ouate de phoque ! Quelqu'un vous a déjà dit quelque chose d'aussi plate pour vous remonter le moral ? Poser la question, c'est y répondre. Vous vivez avec un adulte ? Il vous radotera des PROVERBES pas rapport en prenant un air trop savant. Conséquence directe de l'adultite aiguë.

Je me suis confiée à Antoine aujourd'hui à propos de cette habitude **MATERNELLE**. Il était crampé. C'est un gars normal. Je savais qu'il réagirait comme ça. Je sens qu'il n'est pas trop impatient de la voir en personne.

Ce soir, avec Lily, nous sommes au parc. Lily m'a fait jurer une chose sur la tête de son sac de framboises. Elle veut que je lui envoie une carte POSTALE quand je serai à NYC. Ça m'a donné l'idée d'en **envoyer** une à **Antoine** aussi. Et pour ça, je dois obtenir son adresse.

17~ Offrir la photo d'Ⱥ et de moi à Ⱥ

18~ Rapporter le sarrau à Ⱥ

19~ Glisser un petit mot doux dans la poche du sarrau d'Ⱥ

20~ Inviter Ⱥ à mon spectacle de danse

21~ Demander son adresse à Ⱥ

Quelques minutes avec mon ★c★y★b★e★r-astrologue. Ça ne peut pas faire de tort.

Je cours vers Antoine, même si je déteste la course. De toute manière, c'est le premier pas qui est le plus difficile. Pas vrai, à la COURSE, ils sont tous trop duuurs ! Je ne dois pas raccrocher le téléphone au nez des gens. Bon conseil, sinon je perdrais mes amis assez vite ! Mon intuition ne me joue pas de tours. Quelle intuition ??? Pas rapport. Le 7 est mon chiffre chanceux ? C'est le chiffre chanceux du monde entier !!!!

Je peux me tromper mais j'ai l'impression d'avoir perdu mon temps...

20 AVRIL

4 mini mini mini mini dodos avant NYC (Le temps file.)

J'ai de la difficulté à me concentrer. Pourquoi ? Je PENSE à NYC PARCE QUE TOUT LE MONDE ME RAPPELLE QUE J'Y SERAI BIENTÔT. Océane m'a demandé si j'y allais toujours. Je lui ai fait un large sourire. Lily veut que je lui rapporte une roche que j'aurai ramassée dans **CENTRAL PARK**. Antoine me suggère de courir dans Central Park, tôt le matin. (Il me voit avec des **LUNETTES** roses.) MOI ? **Courir dans Central Park au petit matin ?** LOL fois mille !

21 AVRIL

Heure du dîner. **Antoine** est devant sa case, il m'attend. Je ralentis le pas, il ne faut pas courir dans les **corridors**, c'est bien connu. Pour moi, le règlement, c'est sacré.

ANTOINE me sourit. Je ne le laisse pas parler. Je dépose un *baiser* léger sur sa joue qui rougit. Nous sommes très près l'un de l'autre mais on ne se *touche* pas. C'est ça la distance, dans « Distance et discrétion ».

– Je pars pour le chalet, ce soir. Pas aussi cool que NYC. T'oublieras pas, hein ? Le Madison Square Garden !

Certain. C'est dans mon carnet *Léa à NYC* ! Que fera-t-il au chalet ? Il va **TUER** le temps (avec quoi ? Une grenade ? Une autre expression *poche*) en compagnie de Martin et de Guillaume.

Il prend ma main dans la sienne et replace une mèche de mes **CHEVEUX** qui a glissé devant mes yeux. Des talons nerveux claquent sur le sol. Nous sommes leur Ⓒ Ⓘ Ⓑ Ⓛ Ⓔ ? J'y crois pas.

– On ne reste pas près des casiers. Vous avez pris ce dont vous aviez besoin ? Vous allez à l'agora. C'est par là !

– Bonnes vacances, madame Geoffrion !

Elle en a besoin. Si elle pouvait se trouver une vie pendant les , ça nous arrangerait. **BEN QUOI**, un miracle de Pâques...

– Bonnes vacances, mes beaux enfants.

– ...

– ...

Antoine m'attend près de la porte. Il veut éviter que je me trompe de bus ? Il est trop gentil ! J'arrête pour lui souhaiter bon courage. Une semaine au chalet avec Martin, ça en prend ! Il a glissé un petit papier dans la poche de ma jupe. Son adresse !

Antoine me regarde dans les yeux, il prend mon visage entre ses deux 🖐M 🖐A 🖐I 🖐N 🖐S et il m'embrasse. *Blink !* Un vrai baiser, là. Comme quand Harry a embrassé Ginny ! (**Ouf !** Je pense que, des fois, le temps s'arrête vraiment !) Il ne veut pas que je l'oublie lorsque je serai à NYC.

Nous sommes dans une **BULLE** scintillante jusqu'à ce que **PVP** me lâche un cri de guerre. (Ce n'est pas parce qu'on a parlé des Iroquoiens pendant le cours d'histoire qu'il doit les imiter. Décroche, **PVP** ! L'école est finie depuis douze minutes ! On est en va-can-ces ! Relaxe !)

– Bonnes vacances...

Blink !

23 AVRIL

Ma valise est prête. Mon passeport. Non. Je ne vous montrerai jamais ma photo PARCE QU'ELLE EST **IMMONDE**. J'ai voulu porter un **joli** serre-tête pour l'occasion. Quand on va à NYC, on veut être à notre avantage, c'est normal. Un joli serre-tête rose, c'est contre la loi !!! « Pas de **COUVRE-CHEF** », a crié la photographe, d'un ton excédé. Je l'ai enlevé. J'étais fâchée et ça a donné ça ! Mais cet épisode navrant n'aura pas d'influence sur la cote du week-end. J'ai une vie.

Cote du week-end : 21/10. Le ~~bisou~~ baiser d'Antoine ♥♥♥♥♥♥♥♥♥♥♥♥♥♥♥.

Je ne ferai pas de cote pendant les prochains jours. Parce que je serai à NYC et que ça sera **magique** et que je le sais déjà.

24 AVRIL

J'y suis. C'est ici, NYC. Il est 23 h 34. Tellement de gens dehors. Ils ne se couchent pas à 21 h, eux ! (Je prends des notes.) Toutes ces lumières. C'est fou ! Il y a tellement de choses ! Oh ! Mon premier taxi jaune de ma vie. Un vrai. Ma mère indique où nous allons et le  comprend qu'il doit obéir rapidement. Et il nous conduit chez nous (il y a un endroit à NYC que je peux appeler **chez nous**. J'y crois pas.). Ce soir, moi, Léa, je vais dormir à NYC.

JE. SUIS. À. NEW. YORK. OhMonDieu !

Il est 2 h 19... et JE SUIS TOUJOURS à NYC. OhMonDieu ! (bis)

25 AVRIL

Je suis dans la kitchenette de mamounette. C'est trop petit, mais on s'arrange. Ma mère lit rapidement son journal. Moi, je la regarde. Je regarde l' qui nous isole de la rue. Je regarde un petit bout de CIEL. Je regarde le trottoir (ma nouvelle passion). Je regarde les tulipes en face. Je n'ai pas assez d'yeux pour tout voir, pas assez d'oreilles pour tout entendre. Ça, c'est faux. J'ai très bien entendu les éboueurs à 4 h 33. Je précise que c'est l'**EXCITA-TION** qui me fait dire des choses aussi pas rapport. Je ne souhaite pas vraiment avoir plus que deux yeux.

Ma mère tenait à me faire visiter un **mu-sée** parce que, selon sa vision adulte de la vie, on ne vient pas à NYC sans visiter un **sublimissime** musée. (**PVP**, sors du corps d'Ève !) J'ai décidé de me débarrasser de cette corvée. (Je choisis mes batailles et celle-là, elle était perdue d'avance. Je connais trop bien ma mère.) J'ai opté pour le MOMA[20] parce que, tant qu'à faire quelque chose de plate, autant que ce soit moderne.

Nous sortons du métro. Les buildings sont si hauts qu'on a l'impression qu'il va **PLEUVOIR** d'un instant à l'autre. Le soleil a de la difficulté à éclairer le sol. C'est trop glauque. Selon ma mère, ce n'est pas glauque (elle souligne au passage que mon vocabulaire s'améliore ! L'influence de NYC, c'est é-vident !), c'est plutôt **ART DÉCO**.

Ouate de phoque ! Lafrousse, sors de ce corps. Pas de celui de ma mère, là, c'est moi qui suis possédée ! **GRRR !**

---

20. Le MOMA est le Museum of Modern Art, ou Musée d'art moderne. Vous devriez entendre ma mère prononcer ce mot à la française. J'ai choisi d'y aller un peu pour l'entendre dire ça. Tellement drôle !

Alors, ce MOMA ? C'est un musée. Rempli de **PEINTURES** pas si modernes que ça devant lesquelles on se pâme en se donnant l'air de connaître te^{ee}ll_ement ça. C'était plate. Mais je l'ai fait !

J'aime quoi, moi ? Les  du Chrysler Building ! Les dessins ? Je n'ai pas quitté le cours *d'arts plates*[21] sans une bonne raison !

Je suis à NYC. Je suis à NYC. Je suis à NYC. Je n'y crois pas. Ce midi, mon premier repas acheté dans la rue. Après avoir attendu derrière un million de personnes au moins, j'ai commandé deux HOT-DOGS (zéro protéines !) et des FRITES et une boisson gazeuse. Ce sont les meilleurs hot-dogs de toute ma vie !!! Il faisait SOLEIL. On partageait un banc trop minuscule. On ne parlait pas. C'était bien. J'espionne ma mère qui n'a pas l'air de cacher quelque chose. Elle ne reçoit même pas de texto. À quoi lui sert son cell alors ? Mystère to-tal !

Le Madison Square Garden. C'est ici ? Le temple. Si je ne savais pas que c'était un super temple du hockey, je ne m'y serais jamais arrêtée. Peut-être pour les vendeurs ambulants, mais je n'aurais pas photographié cette bâtisse et surtout, je ne me serais jamais fait PHOTOGRAPHIER devant !!

---

21. Si vous avez autant de talent que moi pour le dessin (vous vous rappelez les bonshommes allumette pour illustrer l'œuvre de Jules Verne ?), vous surnommez certainement de cette manière le cours d'arts plastiques.

JE. SUIS. À. NEW. YORK. OhMonDieu ! (Oui, je sais, je me répète, mais vous en feriez autant à ma place. Avouez !) Et je viens d'apercevoir le Chrysler Building en tournant la tête. Il rayonne dans le soleil. J'ai les **LARMES** aux yeux tant sa beauté me touche. (À moins que ce ne soit la pollution !) Je pensais sautiller en criant lorsqu'on se rencontrerait pour la première fois. Je le photographie en sautillant mais je ne crie pas. (Déception tO-ta-le.)

À peine le temps de renifler qu'on se dirige vers Soho. Le paradis du **MAGASINAGE** branché. Je vous ai dit que ma mère aime tout ce qui est branché ? Sauf le maquillage. Elle n'aime pas magasiner non plus. Alors, c'est un exploit d'être ici, avec elle.

Je regarde tous ces escaliers accrochés aux immeubles. (Il y a vraiment des gens qui descendent par ces escaliers de secours ? J'espère bien que non.) Les tables sur les trottoirs (encore eux). Les **ARBRES** qui poussent à travers mes trottoirs bien-aimés. Les portes de toutes les couleurs, les immeubles de toutes les couleurs, les escaliers de toutes les couleurs, ça, c'est de l'art *foule* utile. Je déclare ça à ma mère qui ne me fait pas la morale, mais qui sourit.

Nous revenons en coup de vent à l'appart. On se repose un peu, on grignote des pois secs aromatisés au **WASABI** (sans commentaire) et on repart tout de suite. Ma mère m'amène voir un spectacle de magie *off* Broadway.

Dans le  du théâtre de magie, il y a des filles de mon âge, des femmes comme ma mère (faux. Personne n'est comme ma mère !). Une cartomancienne qui scrute ses CARTES d'un air mystérieux. Si elle n'était pas aussi impressionnante, j'irais la consulter au sujet de mon enquête. (Mais étant donné que l'objet de mon enquête m'accompagne, j'ai pensé que ce n'était pas l'idée du jour.)

Un  nous a lancé des cartes à tête chercheuse. Mon voisin me lance celle qui est tombée sur lui. Je suis trop LENTE à la refiler. Le magicien me repère, c'est un magicien doté de pouvoirs, faut pas l'oublier.

Je dois me lever et répondre aux questions posées en **anglais** par un magicien de NYC. (Il fait sombre, personne ne peut vraiment voir la couleur de mes joues.) Il me demande d'où je viens. Je réponds que je viens du Québec. Étant doté de pouvoirs, il comprend tout de suite que je dois parler français et me baragouine *Oh ! Tu parles la française !* (Ne vous gênez pas, appelez le gars de la régie pour qu'il pointe son projecteur de dix mille watts sur moi...)

Il me demande si ma carte est un *nine of clubs*. J'ai le 9 de trèfle. Alors, je réponds non. Là, il est vraiment renversé. Il se GRATTE la tête. J'ai un léger doute sur mon bilinguisme instantané. (Je ne veux pas faire foirer le numéro d'un New-Yorkais doté de pouvoirs surnaturels !!!)

– *What is a clubs, sir ?* ai-je demandé d'une voix pas très rassurée.

Il m'a regardée, l'air de questionner le travail des **DOUANIERS** qui laissent des attardés comme moi envahir sa belle ville. Je lui ai montré la carte. L'assistance a ri et m'a *APPLAUDIE*. Je me suis humiliée publiquement à NYC. Je constate que je suis toujours la même personne, mais dans un autre pays.

Comment peut-il y avoir tant de monde dans le métro à 23 h 38 ? Les New-Yorkais ne se couchent pas à 21 h même un **soir de semaine**, même s'ils travaillent le lendemain. **ARGUMENT** à utiliser quand mon père enquêtera sur les raisons qui me poussent **à ne pas** me coucher à 21 h 02 !

Est-ce que je vous l'ai dit ? JE. SUIS. À. NEW. YORK.

C'est le **LIVRE** *Twilight* sur la table du salon ? (Sous une pile de livres savants, mais quand même.) Ce n'est pas très *off* Broadway, *Twilight*. **Qui a oublié ce livre chez ma mère ?** Des jeunes (francophones, en plus...) visitent cet appartement. À mon insu ! **Ouate de phoque !** Ça, c'est une piste !

– Maman, tu lis *Twilight*, **TOI ?!?** Ça m'étonne. **(10/10, Léa !)** C'est vraiiiment pas ton genre de livre. Pas savant, pas intello, une tra-duc-tion !

– Je le lis pour comprendre les jeunes d'aujourd'hui.

Ouate de phoque ! En plus, elle était sérieuse. Je résume. Elle veut savoir ce que vivent les jeunes vampires en AMOUR avec une fille ordinaire qui rêve d'être, elle aussi, un vampire mais qui aime peut-être, elle hésite encore, un **loup-garou** trop sexy ??? C'est une blague ? Non, elle dit ça pour brouiller les pistes. Elle est *foule* habile. Impressionnante même.

– Maman, sais-tu quoi ? Si tu veux savoir ce que vivent les jeunes d'aujourd'hui, **pose-moi** des questions. **À moi !** Je suis jeune et je vis aujourd'hui. J'ai toutes les qualités qu'il faut pour t'éclairer. (La bonne réplique au bon moment ! **12/10** Léa !)

Ma mère m'a répondu en me lançant un coussin. Réponse trop éclairante. Difficile de parler *des vraies affaires* avec ma mère. Ou bien j'ASSASSINE le bon-parler français. Ou bien elle ne veut pas avouer. Si elle résiste devant des questions aussi insignifiantes que celle-ci, elle ne me répondra jamais au sujet de ses AMOURS.

Je suis couchée sur un divan new-yorkais. Je rature plein de points sur ma liste. Et je BARBOUILLE mon commentaire à propos des musées en général.

Léa à NYC

* Aller chez FAO Schwarz. Sauter sur les notes du piano géant (comme dans le film *Big* !)

* Dylan's Candy Bar (ne pas oublier un cadeau délicieux pour Lily et des fraises Tagada)

* Central Park (comme la princesse Gisèle dans *Il était une fois* et Jenna Rink dans *13 ans, bientôt 30*)

(5)

* Times Square (comme la princesse Gisèle dans le même film que tantôt)

* Me faire photographier devant la boutique Henri Bendel sur la 5e Avenue (la boutique-culte de Beckie dans *Confessions d'une accro du shopping*)

* Attention aux publicités portées par le vent sur la Cinquième Avenue (elles sont remplies de surprises)

(6)

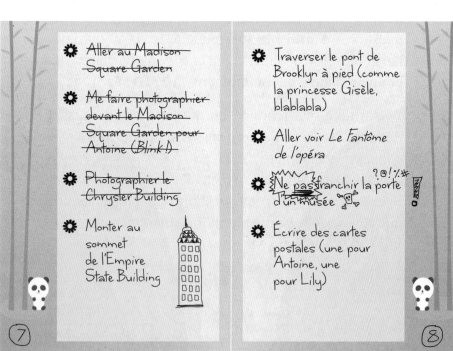

* ~~Aller au Madison Square Garden~~

* ~~Me faire photographier devant le Madison Square Garden pour Antoine (Blink !)~~

* ~~Photographier le Chrysler Building~~

* Monter au sommet de l'Empire State Building

* Traverser le pont de Brooklyn à pied (comme la princesse Gisèle, blablabla)

* Aller voir *Le Fantôme de l'opéra*

* ~~Ne pas franchir la porte d'un musée~~ ?@!%# !

* Écrire des cartes postales (une pour Antoine, une pour Lily)

(7)

(8)

On a pris un petit-déjeuner très rapide. Tout va super **VITE** ici. On a emprunté le métro à Grand Central, une gare immense qui est assez écho (expérience personnelle). Nous sommes allées chez Macy's. (Un autre exploit pour ma mère !) Elle me laisse essayer tout ce qui me plaît, et même plus. Ma mère pianote sur son cell pendant que je me perds parmi les t-shirts et les **JEANS** et des **jupes** trop courtes au goût de Brisebois et des souliers multicolores encore moins à son goût. (**OhMonDieu !** Mon école a contaminé mes neurones trop influençables...)

– Maman, tu devrais essayer ce *top*. Il est super beau !

– Il ne fait pas un peu trop jeune ? dit ma mère en éteignant (enfin !) son cell.

Ma mère doute ?!?!! Comme moi ! **Wow !**

Je lui réponds en lui tendant le très joli *top* trop jeune que j'ai trouvé. Elle doit porter de **JOLIES** choses pour plaire à mon père. En tout cas, je pense. Mon plan est plus subtil parce qu'une confrontation ne conduira à rien. Je m'adapte à madame-je-ne-parle-jamais-des-vraies-affaires-bon.

– Papa le trouverait beau, je pense, ai-je lancé avec l'air de parler du beau temps.

Elle a souri et l'**a essayé**.

– Ne trouves-tu pas que c'est trop décolleté, Léa ?

– **Maman !** T'es pas une religieuse, bon !

Elle a **éclaté** de rire. Mais elle l'a acheté ! Un bon point pour mon super plan.

Nous sommes assises sur les marches du Met[22]. Nous mangeons un délicieux sandwich ! *Clic !* *Clic !* (Faut penser à *notre* )

Je lance comme ça :

– T'as des nouvelles d'Andrew ?

– Pourquoi me parles-tu d'Andrew ? s'étonne ma mère.

Avec raison. Je me sens ~~pas rapport~~.

– Parce que c'est ton *BFF* à New York. On est à New York… (Je suis trop forte.)

– Il est en France en ce moment, je pense.

Ah.

Le **CARROUSEL** de Central Park ! Ma mère et moi, on fait un tour. Je tiens la barre très fort, mon cheval est décoré en rose, je laisse tomber ma tête vers l'arrière et je ris. Je suis tellement bien. Ma

---

22. Abréviation du Metropolitan Museum of Fine Arts. À défaut de me traîner de force à l'intérieur, ma mère m'a invitée à y manger notre sandwich sur les marches, comme les filles de certaines écoles privées trop chic.

mère crie une citation « célèbre » qu'elle est la seule à connaître. Donc, elle aussi, elle est bien.

Je pense à Antoine. *Blink !* Lorsque nos chevaux se calment, nous sautons par terre. Nous faisons un court pèlerinage à l'espace John-Lennon (un ex-Beatle) puis direction l'American Museum of Natural History.

Je sors de là renversée. Les **dinosaures** tellement gros, tellement grands, tellement réels (pour des squelettes !). Je sais, ils sont dans un **musée**. Non, je ne suis pas une *girouetta*. J'ai changé d'idée parce qu'ici, ce n'est pas un vrai **musée**. C'est une sorte de  pour les anciens animaux. En tout cas, je me comprends.

À L'AIDE ! Que va-t-il m'arriver ? Ma mère m'a abandonnée devant un guichet où on vend des billets de spectacle. Je suis Gretel et je n'ai qu'un 𝐁𝐑𝐄𝐓𝐙𝐄𝐋 géant pour toute nourriture. Mon horrible mère m'a abandonnée dans une forêt habitée par une vieille sorcière qui me dégustera pour 𝐒𝐎𝐔𝐏𝐄𝐑. Ou comme le Petit Poucet ou Blanche-Neige. Il y a tant de parents cruels dans les contes pour enfants, j'ai l'embarras du choix.

Je m'inquiète un peu. Elle ne revient pas et la file avance trop vite à mon goût. Pense vite, Léa. Je laisse passer le couple qui me **SUIT**. Il achète ses billets. Efficace, le guichetier. Sept couples ont passé, je m'inquiète un peu plus. Que fait-elle ? Pourquoi ce retard ? Il lui est arrivé quelque chose ! Je suis seule parmi une foule et... elle est enfin là ! **JE** demande deux billets pour le *Fantôme de l'opéra*. Même pas eu besoin de tous ces idiomes que la prof d'anglais nous a forcés à apprendre par cœur. **Pffe !** Je le savais !

Je n'ai pas de mots. C'était trop *big*. La musique. La danse. Les costumes. Les chandelles. La barque qui se déplace sur la scène. Le **CHANDELIER** qui tombe (je n'ai pas crié trop fort, je pense). En sortant, je me rends compte que nous sommes encore à **TIMES SQUARE**. C'est tellement illuminé. Toutes ces publicités. C'est si **beau**. Ma mère souligne que c'est une ode (???) à la pollution ! Nous choisissons de revenir à la maison (cool) à pied pour compenser les excès de Times Square (ce qui changera sans aucun doute la face du monde !). Nous sommes silencieuses, mais heureuses. Léa, ton enquête !

— Maman, pourquoi as-tu accepté de vivre ici aussi longtemps ? Loin de ton amoureux ? (L'histoire d'amour de Christine et de son fantôme m'a donné le **COURAGE** d'affronter ma mère.) Et de moi !

— Cette histoire de divorce te tracasse encore, Léa ? Pauvre chouette, ça t'inquiète toujours ? répond ma mère, toute peinée.

Non, **J'AIME** trop ça. Certain, que ça m'inquiète ! **Ouate de phoque !** Les adultes sont tellement insouciants, c'est pas possible.

– Oui, ça m'inquiète. Tu me manques. Tu **nous** manques. Je sais pas vraiment comment le dire mais moi, je trouve que c'est pas normal !

– Léa, Machiavel va prendre sa retraite dans deux ans. Je **veux** être la prochaine rédactrice en chef. L'expérience à l'étranger me sera fort utile dans ces circonstances. C'est la seule raison, je te jure.

Oh ! Elle ne ment pas. À cause de son argument féministe. J'écris à Lily ce soir, promis !

– Maman, pourquoi tu me l'as pas dit ? Je m'inquiétais *foule*, moi. Je croyais que vous alliez divorcer.

Je crois que j'ai fait une FACE qui a fait réfléchir ma mère. (Il faut que je me rappelle comment la faire. Elle deviendra ma face préférée de tous les temps, à cause de son efficacité.) Pour une fois, elle a compris qu'elle a commis une erreur. Elle a compris que je n'ai plus quatre ans. J'ai eu l'impression qu'elle me voyait **MOI**, pas la petite fille qui allait chez Ma tante Jojo. Je l'ai choquée. (Dans le sens de lui donner un CHOC. Pas dans le sens de la fâcher !)

– Excuse-moi, Léa. Je n'ai jamais pensé à tout ça de ton point de vue. J'ai pensé un peu trop à moi et pas assez à ma grande fille...

Il y avait de l'émotion dans sa voix. Moi, j'ai eu les YEUX pleins d'eau. Ça devait être beau à voir...

215

Ma chou,

t'avais raison !

Bisous de NYC !

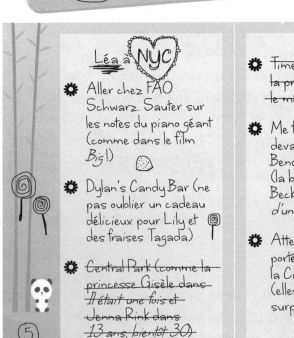

Léa à NYC

* Aller chez FAO Schwarz. Sauter sur les notes du piano géant (comme dans le film *Big* !)

* Dylan's Candy Bar (ne pas oublier un cadeau délicieux pour Lily et des fraises Tagada)

* ~~Central Park (comme la princesse Gisèle dans Il était une fois et Jenna Rink dans 13 ans, bientôt 30)~~

* ~~Times Square (comme la princesse Gisèle dans le même film que tantôt)~~

* Me faire photographier devant la boutique Henri Bendel sur la 5ᵉ Avenue (la boutique-culte de Beckie dans *Confessions d'une accro du shopping*)

* Attention aux publicités portées par le vent sur la Cinquième Avenue (elles sont remplies de surprises)

⑤ ⑥

216

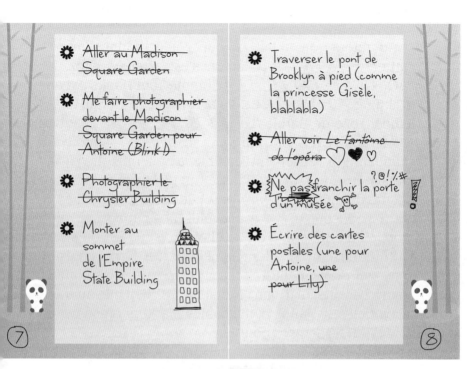

- Aller au ~~Madison Square Garden~~
- ~~Me faire photographier devant le Madison Square Garden pour Antoine (Blink !)~~
- ~~Photographier le Chrysler Building~~
- Monter au sommet de l'Empire State Building

- Traverser le pont de Brooklyn à pied (comme la princesse Gisèle, blablabla)
- Aller voir ~~Le Fantôme de l'opéra~~ ♡ ♥ ♡
- Ne pas franchir la porte d'un musée ? @ ! % #
- Écrire des cartes postales (une pour Antoine, ~~une pour Lily~~)

⑦ ⑧

27 AVRIL

Dernière journée à NYC. Déjà. Faut pas y penser. Ma mère veut m'amener à l'ONU. (Beurk !) Moi, je veux retourner chez Macy's. ($\mathcal{A}_{aa^{a}ah}$!) Nous avons finalement visité le campus de NYU[23]. (Je suis en VACANCES, et je visite une école. Ma mère déteint un peu trop sur moi à mon goût.)

---

23. New York University. Mais je l'ai déjà mentionné, je crois.

Au retour, on a fait ce que j'ai écrit dans mon carnet *Léa à NYC* et on s'est arrêtées chez... FAO Schwarz. *Ouiiiii !* Comme Tom Hanks dans le film *Big*. **OhMonDieu !** J'ai traversé le monde tellement rose de Barbie. Le *PIANO* géant. **OhMonDieu !** OK. J'ai joué *Au clair de la lune* en sautillant gracieusement, comme la ballerine que j'aimerais être. Je n'ai pas faussé, moi ! Ma mère ? Elle a tenté de jouer *Für Elise*. Mais elle avait tout oublié ! On a beaucoup ri ! C'est le plus beau magasin du monde. Ma mère m'a dit de choisir ce que je voulais. **OhMonDieu !** J'ai longuement hésité. Et j'ai choisi deux stylos vraiment très roses et un carnet inspirant plein de cœurs. Si je veux fréquenter NYU, il me faudra des articles scolaires convenables. J'ai pris un sac de **bonbons** roses pour Lily.

Avant, ma mère m'a photographiée devant le chic magasin Henri Bendel. Aucune publicité portée par le vent ne m'a frappée en plein front. C'est *poche* !

J'avais envie d'un **DESSERT**. Ma mère m'a amenée à Brooklyn chez un marchand de crème glacée. Pas n'importe lequel. Celui qui est situé juste sous le pont. Nous avons partagé le plus délirant *banana split* de ma vie. On regardait Manhattan. (*Clic ! Clic !*) Ma mère regrettait chaque cuillerée en imaginant les millions de calories ingérées (Lafrousse ne prend JAMAIS de *VACANCES*.) s'agglutinant (qu'est-ce que je disais ?) malicieusement sur ses fesses. Elle ne sait pas profiter de la vie...

– On a juste à retourner à la *maison* à pied ! Regarde, il y a plein de monde qui marche sur le pont.

J'ai marmonné, parce que j'ai encore de la NOURRITURE dans la bouche, ce qui ne m'empêche pas de pointer du DOIGT les piétons trop en forme. (J'ai enfreint deux règles préférées de ma mère : ne pas parler la bouche pleine et ne pas pointer du doigt. C'est un exploit !)

– Ça te tente vraiment, Léa ? OK. Je suis partante. Tape-m'en cinq ![24]

Ouate de phoooooque ! *Tape-m'en cinq !!!* Je déteste ça quand elle joue à la jeune.

On l'a fait ! On a traversé le pont mythique. J'ai pu voir Manhattan dans le soleil de fin d'après-midi. (CLic ! CLic !)

Savez-vous que l'Empire State Building change de couleur le soir ? Il est vert ou bleu, puis il fait comme moi des fois, il rougit ! J'y suis allée, ce soir ! (Il y a une boîte à suggestions dans le hall. J'ai suggéré qu'on l'éclaire aussi en rose. Ce serait vraiment beau.)

Nous sommes montées au SOMMET. Ma mère avait ses verres fumés, de peur, sans doute, d'être reconnue. Moi, je sautillais. J'ai forcé ma mère à se faire photographier avec moi après la visite. Oui ! Avec la couronne verte de miss Liberty sur la tête. Oui ! Comme Gisèle dans le FILM *Il était une fois*. (CLic ! CLic !)

---

24. Tape-m'en cinq est la version intello pas rapport de *Give me five*. Comment fait-elle pour être comprise à NYC ? Elle est désespérante.

Étendue sur mon divan new-yorkais. J'écris à **Antoine** :

Allô. Je suis à NYC. C'est foule beau. On marche tout le temps.

P.-S. J'ai tes photos !
P.-P.-S. I ♥ U !

Léa

Post Card

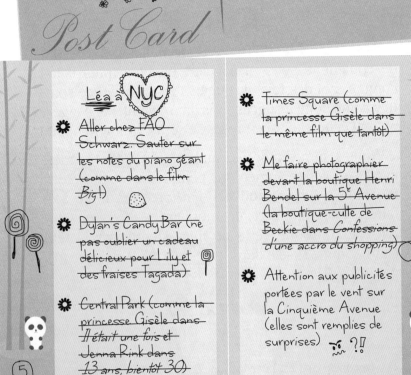

Léa à ♥NYC♥

* Aller chez ~~FAO Schwarz. Sauter sur les notes du piano géant (comme dans le film Big !)~~

* Dylan's Candy Bar (~~ne pas oublier un cadeau délicieux pour Lily et des fraises Tagada~~)

* ~~Central Park (comme la princesse Gisèle dans Il était une fois et Jenna Rink dans 13 ans, bientôt 30)~~

* ~~Times Square (comme la princesse Gisèle dans le même film que tantôt)~~

* ~~Me faire photographier devant la boutique Henri Bendel sur la 5ᵉ Avenue (la boutique-culte de Beckie dans Confessions d'une accro du shopping)~~

* Attention aux publicités portées par le vent sur la Cinquième Avenue (elles sont remplies de surprises) ?!!

⑤ ⑥

220

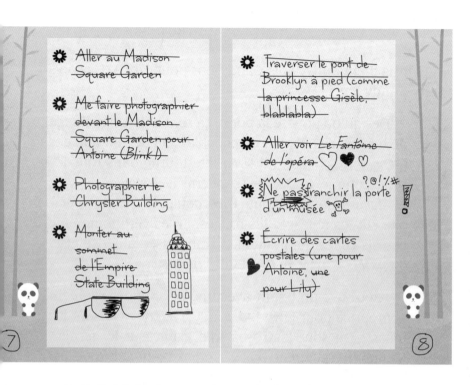

- Aller au Madison Square Garden
- Me faire photographier devant le Madison Square Garden pour Antoine (Blink!)
- Photographier le Chrysler Building
- Monter au sommet de l'Empire State Building
- Traverser le pont de Brooklyn à pied (comme la princesse Gisèle, blablabla)
- Aller voir Le Fantôme de l'opéra ♡ ♥ ♡
- Ne pas franchir la porte d'un musée ?@!%#
- Écrire des cartes postales (une pour Antoine, une pour Lily)

⑦ ⑧

P.-S. J'ai été très attentive mais d'après moi, aucune publicité ne m'a frappée en plein front ! Un seul point non résolu. QUAND MÊME !

28 AVRIL

Le TRAIN 🚂 a quitté Penn Station. Ma mère m'a fait un énorme câlin. Je n'ai presque pas pleuré. Je regarde mes photos. J'en ai tellement. Celles du Chrysler Building sont les plus précieuses. Time Square. La vue du haut de l'Empire State Building, la nuit. Les **dinosaures**. Le pont de Brooklyn. Soho. Je n'arrête pas de repasser mes photos. J'en ai pris plein au Dylan's Candy Bar pour Lily. Le Dylan's Candy Bar...

Dès qu'on pousse la porte, ça sent bon. Un mélange de beurre, de sucre et de chocolat. On ne voit que des **bonbons** partout ! Ma tête tourne dans tous les sens comme R2D2 de *La guerre des étoiles*. Je vois les *jelly beans*. De toutes les couleurs. Je me précipite sur les roses. Et les rouges. Et les vert pomme. Je choisis celles qui goûtent la framboise, la cerise et la **gomme balloune**. Et des noires.

J'ai trouvé un t-shirt avec une inscription tellement appropriée pour Lily : I ♥ candy. J'ai crié : Où sont les roses ? Où sont les roses ? J'ai sauté sur le dernier. Meuuh non... Je n'ai pas vraiment sauté dessus. C'est une expression ! Je l'ai mis dans mon panier pendant que ma mère y déposait une énorme sucette rose et vert. Son **CADEAU** pour Lily !

Je regarde encore mes photos. J'aime celle où je suis assise sur un **TABOURET** dont le siège a l'air d'un énorme bonbon rouge et blanc. J'ai trop hâte de la montrer à Lily. Et de lui donner ses bonbons. Et son t-shirt. Et son petit caillou. Moi ? J'ai choisi un étui à **crayons** rose vraiment mimi.

Le voyage durera neuf heures, si tout va bien. Ma mère a fait mille recommandations au chef de gare et m'a confiée aux bons soins d'une employée qui vient me parler toutes les dix minutes (estimation personnelle. Je n'ai pas minuté.). Je vais lire, si miss Panique-à-bord me laisse un peu en paix. *Les Chevaliers de la*

Table ronde, pour le cours de français. Je ne suis pas (vraiment) une **nerd**. Mais j'ai fini de faire tout ce que j'avais prévu. C'est ça ou jouer au *DS Game Boy* ! Je sais, c'est bébé, glisser son *Game Boy* dans ses ⒝⒜⒢⒜⒢⒠⒮. Bébé, mais *foule* utile !

Je l'ai lu deux fois. (C'est TELLEMENT beau, l'histoire d'amour entre Lancelot et Guenièvre.) Je suis trop zélée et je n'ai plus rien à faire ! (Où ai-je rangé mon *Game Boy* ? JE L'AI PERDU !!! Non, il est dans mon sac à dos. Hihi !) C'est looong. On arrive quand ? J'espère que mon père sera à l'heure. Je n'ai pas envie d'être la dernière à quitter la gare qui sera trop écho et qui me fera **peur**.

Je n'aurais pas dû penser à ça. Une affaire pour que ça arrive.

Je pourrais commencer mon projet de français : rédiger le journal intime de Guenièvre, la reine trop BELLE. J'ai zéro idée pour ce journal pas rapport qui n'a certainement jamais existé. (La gare super vide a contaminé mon cerveau. C'est lui qui est super vide, maintenant.) Les profs exagèrent. Ils nous donnent des travaux trop difficiles à faire.

Je n'ai pas plus d'idée qu'il y a dix minutes. Je pense au *Fantôme de l'opéra* (J'ai vraiment crié !) et au PONT de Brooklyn. OK. Je joue au *Game Boy* !

Il est 18 h. Mon père quittera son travail bientôt pour se rendre à la gare. Si j'avais un  comme tous les gens normaux, je pourrais lui faire parvenir un texto pour m'assurer qu'il se souvient encore de moi. Il reste la **télépathie**. Pas très réconfortante, cette pensée ! Mes dernières tentatives ont échoué. Je comprends pourquoi tout le monde achète un cell.

— PAPA ! C'est moi !!! PAPAAA ! (La gare est écho ! Je le savais !)

Pourquoi j'ai hurlé en agitant la main dans les **AIRS** ? Je suis partie seulement depuis quatre jours. Je n'ai pas grandi (heureusement), mes yeux sont toujours de la même couleur (malheureusement), mes **CHEVEUX** aussi (fiou !). La preuve, il m'a reconnue. Il n'est pas aussi perdu que dans mes souvenirs. J'exagère toujours…

— Papa, tu le savais, toi, que Machiavel prendra sa retraite dans deux ans ?

— Pourquoi veux-tu savoir ça ?

— Parce que !!! ai-je répliqué sur un ton que je souhaite poli, même si, comme ça, ça sonne assez bête.

– Parce que quoi ? a répondu mon père, l'air de ne rien comprendre à ma question qui était pourtant d'une simplicité éblouissante.

– Parce que je me suis imaginé plein d'affaires à votre sujet, à toi et à maman. Comme un genre de divorce ! Vous avez pas pensé à moi ? Au fait que je m'inquiéterais, genre ?

– Désolé, Léa. Je n'ai pas pensé à ça du tout. Ça ne se reproduira plus. Promis. (**Tellement rassurant !**) Tu en as parlé à ta mère ? Elle t'a tout expliqué, pour la retraite de Gendron ? On n'a pas pensé t'en parler. On croyait que... Hey, as-tu aimé ça, NYC ? C'est beau, hein ?

Tout va bien. Je n'ai pas été enlevée par un extra-terrestre qui, pour **PRENDRE** forme humaine, aurait pris possession du corps de mon papounet chéri. C'est bien lui, l'homme au 🐑🐑🐑🐑🐑🐑 de l'automobile qui se dirige vers notre quartier. Toujours aussi perdu. Merci l'Univers d'avoir réussi à maintenir le statu quo pendant mon absence.

Ouate de phoque !

LOVE

Où il est question
d'amitié, de grains de
maïs qui refusent
d'éclater et de poésiiie

2 MAI

Avec **Antoine**, on s'est regardés pendant dix superbes minutes, ce matin. Sans parler. Se revoir et pouvoir se sourire, c'était suffisant. Et trop romantiiique ! Il m'a remerciée pour les photos. Et pour la carte POSTALE. J'ai quand même écrit I ♥ U à la fin ! Il était vraiment touché. *Blink !*

Autour de notre NOUVELLE table. Je raconte mon expédition et tout le monde est vraiment impressionné parce que je suis revenue **toute seule** en train. Croyez-moi. Il n'y a rien de vraiment impressionnant à s'asseoir dans un train et à jouer à Super Mario sous l'œil vigilant de miss Panique-à-bord ! Seule chose digne de mention ? C'est looooong ! Et personne à qui demander *on arrive quand ????* (J'allais pas demander ça à miss Panique-à-bord à tout bout de champ ! Je la connaissais même pas !)

– New York t'a changée, Léa...

– En quatre jours ? Franchement, Martin ! (En tout cas, si j'ai changé, mon MIROIR a rien vu.)

– Léa, j'm'en vais au soccer. Tu viens ? me demande Antoine.

– Cui. Cui. Cui, se MOQUE Martin.

Je lui réponds :

– Gnan ! Gnan ! Gnan !

– T'as. Tellement. Changé. Léa !

– C'est. Comme. Ça. Martin !

ANTOINE a ri quand j'ai dit ça et on est partis ensemble. Océane longeait le mur qui mène à notre salle de bains et elle nous regardait tellement croche. Calme-toi. On ne se tient même pas la main. On ne veut pas être *distance-et-discrétionnés* dès le retour des VACANCES !

Je suis chez Lily, ce soir. On « étudie » ensemble. Ne me demandez surtout pas quoi, je l'ignore moi-même ! À Lily, je raconte tout. Ma mère qui veut devenir Machiavel à la place de Machiavel. Les plus belles vacances de ma vie. Le MAGICIEN. Le Madison Square Garden. Le *Fantôme de l'opéra*. Le pont de Brooklyn. Central Park et son carrousel. Dylan's Candy Bar. Mon retour.

On est couchées sur son lit, on regarde le plafond. On ne parle pas. Lily déguste de la réglisse de chez Dylan. Moi, des *jelly beans*. Moucheronne BIZZZBIZZE de l'autre côté de la porte. Ici, rien n'a changé. C'est tellement rassurant.

– Parle-moi de Jérémie ! Rien de neuf ?

– Bof ! Il est toujours aussi bon à Tetris et il gagne tout le temps ! Ça va pas fort, Sabine a *cassé*.

– !!!

– Tu sais pas ce qu'elle a dit ? Elle lui a dit que, si un gars ne veut pas aller à la danse de l'école avec sa blonde, ben, la fille, il l'aime pas, bon. En tout cas, quelque chose dans ce genre-là. Une *fraise* Tagada, Léa ?

– OUAIP !

3 MAI

– J'ai noté les débats.

Je cache mon visage entre mes bras croisés sur mon bureau. C'est un mauvais moment à passer, Léa. Avec un peu de **chance**, tu te réveilleras pendant le cours de français. Le bulletin est encore loin et ta mère ne portera pas forcément attention à cette compétence perdue parmi toutes les autres.

Je suis trop forte. Personne ne remarquera cette minuscule note justement parce qu'elle sera minuscule. Elle sera *invisible* parmi tous les autres chiffres. Et ma mère déteste les chiffres, alors... De toute façon, c'est fini. Je ne peux plus rien y changer. Ça marche comme ça, les EXAMENS.

Le prof d'histoire nous remet son évaluation en prononçant des noms tellement pas rapport. À Lily, il a dit Marian Hossa (une fille qui écrit son nom comme ça, c'est baroque, non ?). À **PVP**, Wayne Gretzky. (Ce nom me dit quelque chose...) À moi, il a simplement dit Sidney Crosby et il m'a souri !

– Philippe, c'est qui, ça, Sidney Crosby ?

– LÉAAA ! a beuglé **PVP**, en se prenant la tête.

Ça signifie quoi, cet air dégoûté ? Je n'ai pas de culture sportive ? J'en ai. Moins que lui !

– C'est un joueur des Penguins[25] de Pittsburg, l'équipe de hockey, là. (Je FAIS DUR, mais pas tant que ça quand même !) Le numéro 87, je pense. Le prof nous a donné le nom du joueur de hockey qui porte notre note sur son chandail. Vraiment cool !

– T'as raison ! Sidney Crosby, pour moi, c'est to-ta-le-ment cool.

Moi, Léa, j'ai maintenant un joueur de hockey préféré. Et j'ai été gentille avec **PVP** malgré la raclée qu'il m'a infligée **en public** ! Je ne lui en veux pas. Je n'ai pas oublié, mais je ne lui en veux pas. Pas trop... Et Antoine avait raison. Ma note a plein d'allure. Monsieur **Cravate** s'est comme excusé parce que le projet était difficile. Il est vraiment cool, monsieur Cravate. Je crois que je l'ai déjà dit. (Testerait-il un médicament expérimental contre l'adultite aiguë ? C'est à surveiller !)

Océane trouve que le truc de monsieur Cravate, c'est idiot. Elle soupirait pendant qu'il nous donnait

---

25. Chaque fois, ma mère nous fait la morale et nous rappelle qu'on peut aussi dire les Pingouins !

notre note. Elle est tellement rigide, Océane. Elle ne rit jamais. C'est triste.

PVP connaît le hockey à ce point-là ? Il a une **coolitude** naturelle qu'il devrait mettre en valeur. Mes bons résultats m'inspirent de bonnes pensées. Je devrais peut-être le lui suggérer, ce soir, dans le bus...

– Léa ! Reviens parmi nous !

Je suis bonne, mais je **rêve** encore un peu trop pendant les cours...

Dernier cours avant la danse. Laurie est là. C'est elle qui a la cape du Fantôme. Et ses **MOUVEMENTS** sont vraiment gracieux. Le prof l'a remarqué, alors il nous ordonne de faire la démonstration devant tout le monde. On s'exécute. La musique s'arrête. Le prof regarde Laurie et il l'applaudit. Laurie rougit.

Je lui dis que je reviens de **NEW YORK** et que je trouve que ses mouvements sont presque aussi **beaux** que ceux du vrai Fantôme.

– Léa ? Tu es sérieuse, là ?

– Ouaip !

– Je pensais que tu m'aimais pas !

– Moi ? Comment ça ?

– Parce que t'es tellement bonne, toi !

On s'est fait un méga câlin. Je sais, c'est étrange. Mais ça arrive souvent des trucs **bizarres** la semaine précédant le spectacle. *Blink !*

4 MAI

Devant notre case. **Petit-Voisin-Parfait** est là. Il **FOUILLE** dans la sienne.

– Je savais pas que tu connaissais le hockey aussi bien.

– Léa, je collectionne les cartes de hockey depuis... toujours.

– Quand tu parles de hockey, ben, c'est cool. Je voulais juste te le dire... Bye !

– ...

Antoine a trois pratiques de **football** par semaine : mercredi, samedi et dimanche. Il sera prêt pour la saison, aucun doute possible. Avec Lily, je vais aller l'encourager.

La danse du PRINTEMPS, c'est dans **deux dodos**. Antoine et moi *un peu seuls* sur une piste de danse. J'ai vraiment hâte. Lui aussi, il me l'a dit ce midi alors qu'on a eu trois secondes de paix. (Vraiment trop long !) Je ne sais pas comment il danse. Je l'ignore parce qu'il était MALADE à la danse de l'automne. J'espère qu'il n'a pas l'air d'un mammouth en voie de décongélation sur la piste. J'espère qu'il n'attrapera pas le seul VIRUS encore en circulation au printemps. Un genre de virus à tête chercheuse qui s'attaque seulement aux sportifs qui jouent dehors trois fois par semaine, genre. J'ai une intuition : **Antoine** sera là, en pleine forme. Et je n'ai même pas consulté mon cyber-ASTROLOGUE. Je tente de développer mon sixième sens.

Maintenant que mon sixième sens a fait son travail, je vais voir mon horoscope !

Amours : Le ciel vous envoie des rayons multicolores. Saisissez votre chance ! **Amitiés :** Ne vous laissez pas impressionner par un bluffeur ! **Finances :** C'est avec des sous qu'on fait des dollars. **Famille :** Soyez plus conciliant et tout ira pour le mieux. **Votre chiffre chanceux :** le 3.

J'ai raison ! Cyber-astrologue confirme mon bon jugement à propos d'Antoine. Mais qui **bluffe** ? Pas Antoine, même s'il est mon ami aussi. Ouvre l'œil, Léa. Le chiffre CHANCEUX ? C'est n'importe quoi ! C'est le cyber-astrologue qui bluffe !

17~ Offrir la photo d'A et de moi à A

18~ Rapporter le sarrau à A

19~ Glisser un petit mot doux dans la poche du sarrau d'A

20~ Inviter A à mon spectacle de danse

21~ Demander son adresse à A

22~ Aller à la danse du printemps avec A demain

Question à moi-même : où ai-je rangé mes faux cils ? Est-ce que j'aurais l'air pas rapport si je les portais ? Mais non ! Le seul problème, c'est que je ne maîtrise pas encore l'art de les coller. Et je n'ai pas envie qu'ils décollent devant Antoine pendant la danse... Je verrai demain soir !

Le soir de la plus belle danse de l'année.

Nous nous sommes donné rendez-vous chez Guillaume. Pour la pré-danse. Je suis teeeellement excitée. C'est ma première vraie boule disco à viiie. Le sous-sol de Guillaume est... WOW. Tout plein de vieux divans qui sont recouverts de COUSSINS et plus de coussins et encore d'autres coussins. On peut se cacher dessous tant il y en a ou se les lancer ou les jeter par terre pour s'asseoir dessus. C'est comme on veut.

Guillaume a une fort impressionnante collection de disques de vinyle ; des 33 tours comme il dit avec beaucoup de fierté. Classés par ordre alphabétique qu'il ne faut surtout pas déranger : Aerosmith, Alan Parson Project, Beatles, Beau Dommage, Chicago, Elvis, Genesis, Harmonium, Led Zeppelin, Paul McCartney and Wings, Peter Gabriel, Pink Floyd, Sting, The Police, etc. (Je crois que je vais bien aimer la musique d'un GROUPE dont le nom contient le mot Pink.) Il y a une table tournante, évidemment.

Lily a demandé à Guillaume si c'était ça, un gramophone. Pauvre Guillaume. Il semblait *foule* éberlué par le manque de culture musicale de sa chère Lily. BEN QUOI ! Faut s'informer. C'est utile si on veut écouter la musique de l'ancien temps. Et une super batterie ! (Ça, Lily connaît ! Quand même...) Des amplificateurs géants. Guillaume – le **MEILLEUR** DJ du monde – fait tourner *Hotel California*.

Lily m'adresse des signes désespérés qui, si je sais encore **décoder**, signifient que si on attend les gars, on ne dansera pas d'ici la fin de ce millénaire. Alors, je me lève. Franchement, les gars ne sont pas trop vite, ce soir. Je pense même qu'ils sont **gênés**.

ANTOINE me suit et on se déhanche comiquement (selon Martin, mais son opinion ne compte pour personne. La danse n'est pas une de ses spécialités. Lui, sa spécialité, ce sont les **NiaiSeRieS**.). Lily est en feu. Te^{ee}ll_ement dedans. Guillaume oublie sa table tournante, il veut danser avec elle. (Je me croise les **DOIGTS** même si ça a l'air fou, danser les doigts croisés !)

Pendant qu'Antoine me sourit (je l'ai déjà dit, mais il sourit vraiment bien !), moi, j'implore monsieur Dieu pour que ma *BFF* ouvre les yeux. **Sa vie en dépend.** (Je sais, j'exagère un peu.) Pour monsieur Dieu, je ne l'ai pas achalé récemment, il devrait être réceptif même si l'état du **MONDE** requiert pas mal toute son attention.

Je regarde Lily et je lui envoie des **ONDES** d'inspiration. Ne plisse pas les yeux, Léa. Tu vas attirer l'attention. Raté ! **GRRR !**

– J'ai vu Mehrad au football mercredi.

Antoine est à côté de Guillaume-le-DJ, une bouteille d'eau dans les mains. Je ne connais personne qui BOIVE autant d'eau que lui.

– Et… ? a commenté distraitement Guillaume, en cherchant un disque parmi son immense collection.

– Il a participé à un tournoi de tennis, cette semaine. Son programme tennis-études, là. Il arrête pas !

Ouate de phoque ! Encore Mehrad ! Je fais des **signes secrets** que Lily doit décoder. Si elle est en forme, elle devrait comprendre qu'on devrait lui présenter Sabine. À Mehrad. J'ai encore raté mon coup ! J'ai vraiment pas hâte de voir ma note en art dram'.

– Tu penses pas à changer d'école, là ? a demandé Guillaume.

– Es-tu fou ? Une école, c'est une école. Y a toujours des profs et une tonne de règlements ! a conclu mon chum en riant. (Il rit vraiment bien !)

Est-ce qu'Antoine **bluffe** ???

Nous nous sommes rendus à l'école à pied. Le CIEL était plein d'étoiles. J'étais avec Antoine. Lily riait avec Guillaume qui riait aussi pendant que Martin se demandait ce qu'il faisait avec nous quatre. Une soirée parfaite.

Où sont les élèves de l'école de police ? Que fait Brisebois ici ? Pas **GEOFFRION** !!! Même si l'école de police recrute des laiderons, je préfère être surveillée par de jeunes policiers que par nos surveillants habituels. Pourquoi toujours changer ? Heureusement que monsieur Cravate est là, il allège l'atmosphère. Déguisé en Bob l'Éponge, il contraste vraiment avec la très digne Brisebois. (**Ouate de phoque !** Il est vraiment déguisé en Bob l'Éponge ! Juré !)

La salle est magnifique, **DÉCORÉE** comme « La féérie dansante des sirènes » du film *Retour vers le futur*[26]. (Ça expliquerait la présence de Bob ?) Sabine a participé à la déco et c'est vraiment beau. C'est elle qui a suspendu tous les **POISSONS** brillants qui se dandinent mollement au-dessus de nos têtes.

On se lance tout de suite sur la piste de danse, notre période d'échauffement est terminée. **Antoine** et moi. Lily et Guillaume. Martin et lui-même. Sabine se joint à nous. Pas encore **TROP** électrocutée. Elle n'en veut plus à Lily. (Enfin !) Antoine danse bien pour un joueur de football. Nous sommes dans une bulle bleue qui **PÉTILLE** doucement.

Karo et **PVP** dansent un peu plus loin. (J'ai des hallucinations ! Karo et **PVP** ? **Ouate de phoque !** Sa blonde inconnue qui fréquente une super école privée, elle est où ? C'est lui qui bluffait !!) Trop près au goût

---

26. Version française du film *Back to the future.* Un film que mon père adore et qu'on écoute au moins deux fois par année. Il s'endort pendant la fameuse danse des sirènes. Quand j'arrête le film, il se réveille et me demande ce qui est arrivé. Chaque fois. Il est trop drôle quand il se réveille en sursaut.

de Brisebois qui va les séparer. **Ouate de phoque au carré ! PVP** s'est fait *distance-et-discrétionné* le soir de la danse ! À nous deux, lundi matin !

Je jette un coup d'œil sur la porte d'entrée. **Jérémie.** Non, pas lui ! DRAME en vue. Son détecteur à Lily est fonctionnel et il nous a repérés rapidement. Le père de Jérémie a tellement évolué en quelques jours. Il a accordé à Jérémie la permission qu'il lui refusait pour Sabine ? C'est un adulte, remarquez. Un adulte, ça peut changer d'idée très rapidement.

Lily danse avec Jérémie **et** Guillaume. Ça va pas durer. Je fais ma face convaincante à Lily qui fixe une sirène. Je suis le Gémeaux que tu dois écouter, Lily. N'oublie jamais ça. Tu dois décoder mes super BONS conseils !

Je sais que cette prédiction date un peu, mais c'est la première fois que j'ai l'occasion de prouver que je peux donner de bons conseils alors elle devrait en profiter... C'est certain que mimer de bons conseils, ce n'est pas si simple. J'ai l'air d'une pieuvre en pleine crise d'épilepsie !

Sabine s'éclipse vers le comptoir BOISSONS-gazeuses-chips-et-autres-gourmandises-pas-super-bonnes-pour-la-santé. TACTAC est au poste. Sabine peut se confier à lui. C'est son karma, à TacTac, recevoir les confidences des filles un peu tristes. Il fait vraiment bien ça, en plus. Ça paraît qu'il est plus mature que nous. C'est un secondaire quatre !

Guillaume va rejoindre Sabine en passant devant Océane qui lui fait de l'attitude. Il est pas idiot, il a pas envie de se faire niaiser. Mais je le connais bien, Guillaume. Il attend sa chance… *Bieber* reste, lui. Nous, on danse toujours. Je ferme les yeux pour savourer la magie. *Blink !*

Quand je les ouvre, un énorme Bob l'Éponge sautille avec nous. (J'ai crié. Bob a ri.) Il nous fait assez d'OMBRE pour qu'on puisse s'embrasser gentiment. *Blink !* Bob est trop cool. Heureusement qu'il reste un adulte dans le gym qui se souvienne de son adolescence. (Il a peut-être vraiment retrouvé l'ado en lui. Je niaise, il est vraiment cool, ce prof.)

Nous sortons prendre l'air. S'asseoir sur un BANC, la nuit. Regarder les étoiles en se tenant la main. Elle est pas belle, la vie ? *Blink !*

C'est ce que je pensais, jusqu'à ce que Sabine rapplique, le cœur gros. *Bieber*  avec Lily.

Sabine **PLEURE** un peu, je la comprends tellement. Antoine me supplie du regard : « Fais quelque chose, Léa. » Je constate que nous faisons de la télépathie. Faudra que je dise ça à Lily. Elle va être très fière de moi.

– Je sais, Léa. C'est **moi** qui ai *cassé*. Mais quand Lily danse avec Jérémie, j'aime pas ça, bon. J'ai bien fait de *casser*, non ?

– Sabine, la salle est super belle. La plus belle déco que j'ai jamais vue de ma vie ! (C'est ma seconde danse, mais c'est vraiment plus BEAU qu'en novembre.)

– Tu veux pas répondre, hein ?

– Sabine, ta petite voix qui s'époumonait l'autre fois, elle te dit quoi, ce soir ?

– Yéééé !!!!!

On se lève d'un bond, comme deux sauterelles. On improvise une danse qui défoule vraiment. Deux sauterelles **électriques** qui gigotent au clair de LUNE, d'après Antoine et Guillaume, c'est méga divertissant ! Je pense même que Geneviève Dorion-Coupal aurait été fière de nous !

J'ai EU un éclair de génie. Je crois que je devrais devenir psychologue. Je sais écouter les âmes en peine et, le plus important, je sais les accompagner dans leurs activités les plus pas rapport. C'est une bonne qualité pour une psychologue, je trouve. En tout cas, je suis meilleure psy que chorégraphe !

Je raconte cette découverte extraordinaire à propos de mon avenir à Antoine. Je lui résume le problème de Sabine, pas pour bavasser ses secrets, juste pour qu'il comprenne ce qui s'est passé. Il l'a vue pleurer, quand même !

– T'es tellement pas comme ça, toi, je lui chuchote à l'oreille.

Antoine m'a regardée droit dans les yeux. Puis il m'a serrée **très** fort contre lui. C'était **magnétique**. J'ai enfoui mon nez dans son cou. J'ai déposé doucement ma main contre sa poitrine toute chaude. Je sentais son cœur qui BATTAIT très vite. C'était **tellement intense**... Je pense que, si le temps arrête parfois de courir, il s'est arrêté pour nous, ce soir, dans notre vieux gymnase.

J'ai ouvert les yeux, mais ça me tentait vraiment pas. J'aurais préféré rester là, debout contre Antoine, entourée de personnes teeellement occupées qu'elles ne voient pas ce qui se passe vraiment...

Sauf Geoffrion, qui nous a *distance-et-discrétionnés* ! **Ouate de phoque !** À la danse du printemps ! Comme Karo et **PVP** ! Relaxez un peu, madame, c'est vendredi soir, quand même !

Antoine et moi, on a été distance-et-discrétionnés, ce soir !

OhMonDieu !

J'ai tant de CHOSES à dire à Lily. Je vais en oublier, c'est clair.

Lily est au comptoir « santé ». Une attaque irrésistible de framboises suédoises. J'ai vu *Bieber* déposer un bisou tout chou sur sa joue. Pourquoi Geoffrion ne l'a pas distance-et-discrétionné, **lui** ? C'est dur de savoir des choses et de devoir se taire pour ne pas passer pour une fouine, comme vous-savez-qui. Est-ce que je dois être *foule* contente pour Lily ? C'est important, un baiser sur la joue. C'est une spécialiste qui parle...

Je ne sais pas si je devrais dire à Lily que je sais. Pour le bisou ! Nan. Je lui laisserai le plaisir de me raconter. C'est trop chouette.

Je retrouve ANTOINE qui me sourit (toujours aussi bien). Mon secret crépite sur mes lèvres. Trop dur de se taire. Une solution. Je PINCE très fort les lèvres. Bon. Je crois que je vais arrêter. Tout le monde me regarde, l'air de penser que je suis sur le point de vomir.

On danse encore et encore. On se laisse aller. Antoine a un peu de mal à improviser, tout à coup. Moi, j'aime *Party Rock Anthem,* alors je m'éclate. Mes bras dessinent des *arabesques* au-dessus de ma tête. Mes pieds savent où se placer pour que j'aie l'air décontractée (décontractée !!!). Guillaume nous a rejoints. Je le serre dans mes bras. (Je connais maintenant, et pour toujours, les super pouvoirs des câlins. Rien à voir avec ceux des super-héros des bandes dessinées qu'Antoine aime tant.) La soirée semble difficile pour Guillaume. Aimer quelqu'un qui ne voit rien, c'est assez moche. Antoine lui fait une *bine* sur l'épaule. Ça veut dire la même chose, mais je pense qu'une *bine,* ça parle plus fort qu'un câlin.

Quand les lumières se sont rallumées, je me suis comme réveillée. Monsieur Cravate nous a salués en parlant du nez, comme Bob. Vraiment, je l'avais mal jugé. Remarquez que j'ai beaucoup maturé depuis . Je m'épate moi-même.

ANTOINE et moi, c'est comme si nos mains étaient soudées. Elles ne voulaient pas se séparer. Nous avons passé une belle soirée. Et on se revoit demain ! SPECTACLE de danse !

Ginette nous ramène à la maison. On mange des framboises pour ne pas parler. Ginette ne doit pas être au courant de nos histoires de cœur, d'après Lily. Pas assez mature pour vivre ça, toujours d'après son héritière. C'est une adulte, oublie jamais ça, qu'elle m'a dit. En la regardant, impossible d'oublier qu'elle est une adulte sérieuse et, avant toute chose, *responsâââble*.

C'est quoi ça, une framboise dans mon souti... ? Est-ce que **ça**, je peux en parler sans traumatiser Ginette l'hypersensible ? Je montre le bonbon à Lily qui me l'arrache des mains et l'engouffre en me faisant un clin d'œil. Pourquoi elle fait tout pour que j'éclate de RIRE ?

Je suis fatiguée. Je devrais essayer de dormir. Je peux pas. Je pense à la soirée. Antoine et son câlin trop **INTENSE**. Je vais m'occuper de ma A-Liste. Quand même, c'est une bonne idée de dormir parce que demain, c'est le spectacle de danse. Bisous !

17~ Offrir la photo d'A et de moi à A

18~ Rapporter le sarrau à A

19~ Glisser un petit mot doux dans la poche du sarrau d'A

20~ Inviter A à mon spectacle de danse

21~ Demander son adresse à A

22~ Aller à la danse du printemps avec A ~demain~ 6 mai

Je n'oublierai **jamais** le câlin d'Antoine. J'ai raturé le point numéro 22, mon point favori à vie. Je ne veux pas refermer mon carnet tout choupinet. Alors, autour de mon point préféré, j'ai GRIBOUILLÉ des cœurs, des étoiles, la date du jour, des spirales. ANTOINE est trop TOUT ! Vraiment.

Premier jour d'un week-end très chargé.

Spectacle de danse. Ma mère sera là et LULU et mon père et Lily et Jérémie et Antoine. (J'ai vendu beaucoup de billets !) Je n'ai pas le temps d'écrire car je prépare mon SAC et je ne dois pas oublier : 1) mes souliers (vraiment essentiel), 2) mon miroir fétiche (pour coller mes faux CILS sans avoir l'air d'un clown après un orage), 3) ma trousse de maquillage (se référer au point numéro 2) et 4) mes bouteilles d'eau... Notre *Fantôme de l'opéra* est moins beau que celui de NYC, mais là, on est au Québec, dans une troupe a-ma-teur-eee. Faut pas exagérer !

Cote du week-end : 15/10. (Détails à venir.)

Je suis en coulisses. Je soulève légèrement le rideau et j'observe la salle. J'aperçois Lily, Antoine et Jérémie. Antoine me sourit. Aaaah ! Je l'aime trop. Je laisse tomber le rideau. Le trac me serre la gorge même si mon petit ami est dans la salle. (??? Pas vraiment claire, cette pensée !) Si je faisais un faux pas devant mes meilleurs amis ? Si je tombais ? **Nooon !** Une main serre doucement mon épaule. Constance. Je la remercie du regard. C'est notre tour dans deux minutes. Surtout, ne pas parler (je vomirais à ses pieds, ce qui n'est pas idéal avant d'entrer en scène).

Nous prenons place. Mes genoux **TREMBLENT**. J'ai tellement mal au cœur !!! Laurie me regarde. On ne sera jamais *BFF*, mais on a appris à se respecter et à s'apprécier. Bon. La première **NOTE**. Mon pied sait exactement où il doit se placer. L'autre le suit, mes bras savent ce que mes **NEURONES** trop comiques font semblant d'avoir oublié. La danse m'avale. Je crois bien avoir entendu « *Let's go*, Léa ! » à un moment donné. La musique s'arrête. On nous applaudit. Je distingue des voix connues parmi les applaudissements. Mon corps sait qu'il a bien dansé ce soir, même si moi, je doute. Je salue. JE. SUIS. MÉGA. HEUREUSE.

Dans le hall, les spectateurs se **BOUSCU-LENT** en nous attendant. Je saute au cou d'Antoine et on s'embrasse (devant mes parents, qui trouvent la couleur du plafond très inspirante tout à coup). Il porte une eau de toilette (je n'ai pas beaucoup de temps pour y penser, mais de l'eau de toilette, c'est comme dans toilettes, ça ? Et on utilise cette expression pour désigner du parfum ??? Les adultes ont vraiment un gros problème.) qui me pique un peu le nez, c'est **COMIQUE**. Lily et Jérémie me chahutent. Ma mère me félicite et Lulu et mon père aussi. Je suis encore très maquillée et mes amis sont étonnés de voir ma **face** de danseuse. Je suis comme un Mini-Wheat. J'ai deux personnalités. (Je suis très intense après un spectacle de danse.)

C'est super, tous les gens que j'**AIME** sont ici, ce soir. **Je. Suis. Trop. Bien.**

Lily est revenue avec moi. Depuis son arrivée, elle est silencieuse. Pourquoi est-elle venue chez moi, si elle n'a pas envie de parler ? Sois patiente, Léa. Elle porte peut-être un **LOURD** secret difficile à étaler au grand jour...

– Léa, Jérémie veut qu'on sorte ensemble.

– ...

LE **BISOU** SUR LA JOUE ! Je le savais tellement. Bluffe-t-il ? **OhMonDieu !** Je vois du bluff partout !

– Je sais pas quoi lui répondre !

– Tu sais pas ce que tu veux... (*Extralucidité* t**O**-**ta**-le ! Je m'épate moi-même !)

– Je suis mêlée, Léa. (Je sais !) Je me comprends plus. J'aimerais ça avoir un chum, mais si on *casse* **(tu veux dire QUAND vous *casserez*. C'est de *Bieber* qu'on parle, là...)**, je veux pas perdre mon *BFF*. Comprends-tu ?

– ...

– Dis quelque chose ! Un conseil, **n'importe quoi** !

– Tu veux **vraiment** sortir avec lui ?

– Je pense que oui.

– Ben, dis oui !

Mais qu'est-ce que je viens de LANCER dans le COSMOS ????? Je suis la *girouetta* de l'année ! Change de sujet, vite !!!

– Lily, dis-moi. M'as-tu trouvée bonne, ce soir ?

Technique de diversion déjà éprouvée.

– Ouaip. Super bonne même. Nous as-tu entendus hurler ton nom ?

– Ouaip ! Antoine criait, lui aussi ? ai-je demandé, même si je connais la réponse.

– Ouaip ! *Foule* fort même. La vieille Ida lui a tapé sur l'épaule en faisant rouler ses yeux globuleux. C'était crampant. T'aurais dû voir la face d'Antoine ! Ça valait mille piastres !

– Ida était là ? OhMonDieu ! Qui l'a invitée ? Ça veut dire qu'elle a des amis ? OhMonDieu !

Lily et *Bieber* ! *Bieber* et Lily ! J'espère qu'il est le meilleur gars pour elle ! Vraiment. **HONTE** tO-ta-le ! Est-ce qu'une BONNE amie penserait ça ? À propos de *Bieber*, je veux dire…

Second jour d'un super week-end.

Avec Lily, je suis au **FOOTBALL**. Elle « sort » avec *Bieber* depuis ce matin. Mais ça ne nous aide pas du tout à comprendre ce sport trop **compliqué**. Je résume. Les gars lancent le ballon. Ils crient. Ils se foncent dedans. Parfois, il y a un gars qui attrape le ballon et qui part en courant. Là, une **meute** sauvage lui court après. La meute rattrape le gars. Elle le jette par terre. Un membre de la meute ramasse le ballon. Et repart avec. La **direction** opposée est son premier choix. C'est un résumé assez fidèle de ce qu'on a compris.

Lily avait des framboises. Ça aide à passer le temps. Elle m'a (enfin !) raconté le baiser sur la joue ! Juste après que Geoffrion soit passée à côté d'eux. Et **PVP** les a félicités. **Ouate de phoque !**

La mère d'**Antoine** m'a saluée, l'air un peu étonné (étonnée ? Étonné. Pas certaine.) de retrouver la-fille-qui-capote-au-sujet-des-trottoirs dans les gradins.

Antoine a gagné son match. Il est trop fort. Je ne connais pas grand-chose mais je sais qu'Antoine est super fort. C'est mon chum ! Je suis allée le féliciter, perdue parmi tous ces joueurs en sueur. **(Beurk !)** Il m'a serrée contre lui (oui, oui, il est en sueur, lui aussi, mais c'est tellement pas pareil !). Son casque faisait obstacle à mes bisous. **GRRR !**

Lily toussotait pendant que son pied droit dessinait des ronds dans le **SABLE**. Mon père attendait dans l'🚗🚗🚗🚗 en pianotant sur son cell. La mère d'Antoine nous observait sans rien faire d'autre. On sera plus tranquilles à l'école. Je n'aurais JAMAIS cru que mon cerveau exprimerait, un jour, une idée aussi saugrenue ! Mais c'est la RÉ-A-LI-TÉ !

💜 💀 💜

IL. A. GAGNÉ. IL. A. ÉTÉ. LE. MEILLEUR. (Je ne suis pas certaine de ça.) Par exemple, le **GRAND** gars *foule* maigre qui agitait des mouchoirs de couleur **ORANGE** le long du terrain. On n'a pas encore compris à qui il faisait ces signes désespérés. D'ailleurs, si je peux me permettre, des mouchoirs rose vif seraient pas mal plus *glamour*.

💜 💀 💜

J'AIME TROP MA VIE !

Cote du week-end : 22/10. La danse de l'école avec Antoine 💜💜💜💜💜💜💜💜💜💜💜💜. Mon spectacle de danse 💜💜💜💜💜💜💜💜. Les encouragements d'Antoine 💜💜💜💜💜💜💜💜💜💜. Le football 💜💜.

Pourquoi je n'ai pas coté Lily et *Bieber* ? Non. Je ne m'en fiche pas. Ça me touche, parce que c'est mon amie et que je l'aime. Mais ça n'affecte pas mon humeur. Nuance.

💜 💀 💜

 J'ai le cœur te^eellement **DUR**. Je ne suis pas fière de moi. J'y réfléchirai plus tard. Bonne nuit.

10 MAI

Dans le bus. J'ai agacé **PVP** parce qu'il s'est fait *distance-et-discrétionné* à la danse. Il m'a retourné le compliment. La semaine commence bien. Sérieux !

Devant ma table de travail. Là, ça va mal ! Après un aussi beau week-end ? *Qué passa*, Léa ? Le **journal** de Guenièvre !! C'est l'urgence tO-ta-le ! J'ai appelé ma mère à l'aide. Pas le choix. Elle se sentait tellement utile. (Je NOTE qu'il faut s'occuper de ses adultes de temps en temps. Essayez mon truc !)

Je l'ai mise en contexte. (Peut-être pas si nécessaire, elle est *bollée*, j'ai tendance à négliger cet aspect quand même important de sa personnalité.) Lancelot, le beau **chevalier** romantique, quitte la reine Guenièvre parce que leur amour est impossible vu que Guenièvre est l'épouse du bon roi ARTHUR qui est aussi le *BFF* gars de Lancelot qui disparaît pendant une éternité. La trop belle Guenièvre regarde la Table Ronde et le fauteuil vide du Grand Absent et elle pleure tout le temps.

Ma mère m'a fait comprendre que je m'égarais. Je ne sais pas pourquoi elle dit ça. Je trouve que c'est un super bon résumé. Il faut toujours qu'elle critique. Normal, c'est une **journaliste**.

Je souhaite qu'elle m'aide, donc j'ai avantage à ne pas la contredire. Je l'ai laissé **divaguer** un peu. Ça m'a donné plein de temps pour *farfouiller* dans mon tiroir vide-poches. Puis elle a dit une phrase qui m'a semblé plus importante que les autres :

– Léa, pense à Antoine. Concentre-toi sur cette pensée. Dis-toi que tu ne le reverras plus jamais. Puis écris tout ce qui te passe par la tête.

– Maman, ça va tout se mêler sur ma feuille !

J'ai dit ça sur un ton assez immature. J'ai parfois des rechutes. Je n'ai pas encore quatorze ans, laissez-moi une chance.

– Ça ne peut pas être parfait dès le premier jet. Ça ne l'est jamais. Tu vas te relire et te relire encore. Tu vas le laisser un soir et le reprendre le lendemain. Surtout si tu veux faire de la poésie.

– Mais ça va être tellement looong !!!

J'ai raccroché le téléphone. Et je me suis mise à réfléchir avec sérieux car la remise est le 11 mai. Je sais. D'après le calendrier, c'est **demain**. Ça, je ne l'ai pas dit à ma mère parce qu'elle aurait pété une *coche* improductive, un de ses passe-temps préférés.

Je pense à Antoine. Il quitte l'école pour un collège en IRLANDE parce que son père va travailler là-bas pendant un siècle au moins.

En Irlande, il rencontre la belle *princesse* Anne-Éléonore qui lui passe son foulard autour du cou avant un tournoi et il tombe raide fou d'amour. Je me concentre sur le **FOULARD** maléfique d'Anne-Éléonore que je déteste sans l'avoir jamais vue parce qu'elle n'existe pas mais je sais qu'elle a les cheveux blonds comme **YSEULT**[27]. Je ne sais pas pourquoi, mais les idées jaillissent de mon cerveau survolté. Je ne suis pas certaine, mais je crois que c'est une transe. **OhMonDieu !** C'est mirifique !

– Léa, il est 21 h, tu devrais te coucher, ma belle.

Mon père. Pas rapport, encore une fois. Je ne me couche plus à 21 h depuis que j'ai neuf ans. Occupe-toi de ton adulte, Léa, il a *foule* besoin d'attention.

– Je finis mon travail et j'éteins. Bonne nuit, papa ! (La prochaine fois, je lui donne l'exemple des New-Yorkais. Promis ! Mais ce **SOIR**, disons que je manque un peu de temps.)

– Bonne nuit, ma Lélé. Dors bien. (Lélé ! Vous n'avez pas entendu ça, s'il vous plaît. Dites-moi que vous vous **LIMIEZ** les ongles !)

---

27. La Yseult dans *Tristan et Yseult*. Un couple aussi romantiiique que Roméo et Juliette.

Je recopie mes vers avec une **plume**. Je me concentre sur le texte et là, je ne sais pas ce qui m'arrive, mais des **larmes** me montent aux yeux. Je ne les arrête pas, je suis seule dans ma chambre. Je pense à **ANTOINE** qui s'en va en Irlande et qui tombe amoureux fou d'Anne-Éléonore, la blonde machiavélique (**GRRR !**) au foulard magique et là, c'est le déluge.

Même que quelques larmes tombent sur le papier et délavent mon texte, juste un peu – faut que la prof puisse lire quand même – mais assez pour faire beaucoup d'effet sur l'adulte lecteur. Je sais. JE. SUIS. TROP. FORTE !

Un jour, je vivrai une aussi grande peine d'amour que celle de Guenièvre. Ma vie sera vraiment **INTENSE** ! Je le sais !

11 MAI

Nous ne pouvons pas nous retrouver autour de notre **NOUVELLE** table. Nous devons manger dehors parce que ce sont les **OLYMPIA-DES** extérieures. Antoine parle (encore) du fameux programme **TENNIS**-études ! **Ouate de phoque !** Qu'est-ce qui lui prend ? J'aime pas ça quand il parle d'une autre école.

– Léa, faut que je te parle. **Groui-lle !**

Lily est tellement énervée. On dirait qu'elle a découvert le secret de la Caramilk. (C'est possible puisqu'elle est la reine des BONBONS. Si elle ne découvre pas ce secret, personne n'y parviendra jamais.) Je la suis parce qu'elle ne me laissera pas tranquille.

– J'étais aux toilettes, tu sais pourquoi. (Pas de détails, Lily. Je connais bien l'endroit. J'y vais moi aussi...) La porte s'est ouverte. Aglaé et Océane sont entrées...

Deux filles sont entrées dans la salle de bains des filles ? **OUuuh !** Il se passe des choses **Choquantes** dans cette école.

– J'ai remonté mes pieds pour devenir invisible. *Blink ?* Et il a fallu que j'arrête de faire pipi. Je te jure, je ne respirais plus, je devais être rouge comme mes framboises. Là, Océane a confié à Aglaé que c'était **of-fi-ci-el !** Ses parents se séparent. Océane savait qu'il se passait quelque chose... (Une autre *extralucide* !) Et moi, je retenais toujours tu-sais-quoi ! Une chance, Geoffrion a ouvert la porte. Je n'en pouvais plus.

Océane m'annonçait en **primeur mon-di-a-le** le divorce de mes parents et ce sont les siens qui sont séparés ?!??! J'hallucine. Elle m'a lancé un SORT qui a rebondi sur un miroir (l'effet ricochet des jeux télévisés français **et** *poches*) pour la frapper **elle** ? En plus de son extralucidité, Océane possède des pouvoirs **MAGIQUES** ? Je suis impressionnée.

Océane me fait de l'attitude, cet après-midi. **Ouate de phoque !** J'ai rien à voir dans ses histoires de famille, moi ! Je la regarde et je lui souris. Ça va lui faire du bien. Compte tenu de vous-savez-quoi. (Est-ce que je suis trop naïve ? Non, juste assez.)

C'est **PVP** qui m'a souri en retour. Encore l'effet ricochet !

14 MAI

Je suis chez Lily. On niaise. Dans le sens qu'on perd vraiment notre temps. On ne parle pas beaucoup, Lily pense à son *Biebeeer*. Moi, je pense à mon **ANNIVERSAIRE**. C'est le 14 juin quand même ! Je vais avoir quatorze ans. *Ouiiiii !* **Ce sera mon année chanceuse !!!**

J'aimerais bien organiser une **fête** avec mes amis. C'est à ça que je pense pendant que Lily use ses neurones à rêver à *Bieber*. Je savais comment organiser ma fête quand j'avais neuf ans. Je choisissais des cartes, des **BALLONS**, une nappe de papier et des verres qui allaient vraiment bien avec la *nappe* rose. Avec Lulu, je préparais des sacs à surprise, la partie vraiment cool d'une fête vraiment réussie. Des gros ! Puis elle préparait un super gâteau au chocolat « en secret ». Un gros ! On allait au cinéma. On revenait à la *maison* pour jouer à *Cadoo*. C'était vraiment bien ! Là, je vois mal Antoine jouer à *Cadoo* avec *Bieber*. Faut vraiment que je trouve quelque chose de cool parce que ce sera mon année chanceuse de la vie ! Faut qu'elle commence bien.

– Lily. Lilyyy ! Qu'est-ce que je fais pour ma *fête* ? As-tu des idées ?

– Le gâteau de Lulu !

– C'est évident, le gâteau de Lulu ! Mais je fais ça quand ? On va où ? Pas au cinéma. Y a rien de bon, en ce moment.

– Une soirée **Festival des films d'horreur *poches*** dans ton sous-sol *MITEUX* mais chaleureux. On va tellement rire. On va mettre le foulard rouge sur la vieille lampe. Wouhhh !

– T'es malade ? Dans mon **SOUS-SOL** hanté ?

– On va jouer au *bowling*, d'abord ! Dis oui ! Ça va être cool !

– On est allés, l'autre fois. C'est pas assez original.

– Penses-tu que Lulu peut décorer ton gâteau avec des framboises suédoises ? C'est une super idée, hein ?

– Je veux pas connaître tes plans ! Parle à Lulu toi-même !

– Vas-tu m'**inviter** à ta fête ? Je suis ton amie aussiii !

Quand **M**oucheronne se mêle de nos affaires, ça dérape toujours. C'est un pot de colle ambulant, cette enfant. Elle a pas de vie, c'est triste.

– **MAMANNNNN !** Dis-lui d'arrêter !!! Elle nous **achaaale encore !**

– **Les filles, accordez-vous donc !** crie Ginette, comme si c'était de notre faute quand Moucheronne nous colle après. Franchement !

Quand Lily et Moucheronne se **chicanent** et que Ginette ne fait rien, je m'en vais. Je déteste la chicane, bon !

J'ai plein d'idées. On va avoir le gâteau au chocolat de Lulu. Et Lily va le **DECORER**, je pense, si je me fie à ce qu'elle m'a dit. Je vais inviter Lily... **A**ntoine ! Sabine ? Elle aime ça, les fêtes. Karo aussi ! Mais Lily va vouloir que j'invite *Bieber*. Guillaume ? Si *Bieber* est là... J'ai une vie trop compliquée. Je suis **confuse**, je penserai à tout ça demain.

À moins que mon cyber-astrologue n'ait une idée **brillante** à ce propos.

Amours : Y aurait-il deux personnes dans votre vie ? **Amitiés :** Faites confiance à votre petite voix intérieure. C'est votre meilleur guide. **Finances :** Vos idées de génie sont enfin reconnues. Sachez saisir la chance quand elle passe. **Santé :** Sautez ! Dansez ! Bougez ! **Votre chiffre chanceux :** le 5.

Ben là ! Ma petite  intérieure est silencieuse. C'est pour ça que je consulte cyber-astrologie. **Conclusion :** Personne ne sait. Je dois sauter et danser et bouger avec cinq personnes, ce serait plus chanceux ??? Je crois que je devrais oublier tout ça. Sauf le fait que je suis mon meilleur guide. **Ouais.**

Ma fête aura lieu le... (je ferme les yeux et je choisis une date au hasard sur le calendrier) le 4 juin ! C'est un beau chiffre et c'est un samedi. Je devrais faire confiance au  plus souvent.

À : Lily43@gmail.com
De : Lea.sec2@gmail.com
Objet : Le 4 juin !

Je la ferais le 4 juin, ma fête. Es-tu libre ?

Ta chou

À : Lea.sec2@gmail.com
De : Lily43@gmail.com
Objet : Re : Le 4 juin !

Toujours, ma chou. T'invites qui ?

Ta chou

À : Lily43@gmail.com
De : Lea.sec2@gmail.com
Objet : ???????????????????

Pas fini ! Je cherche encore où !

Ta chou foule indécise

15 MAI

2 0 dodos avant ma super fête d'anniversaire.

Il faut que j'étudie. Sérieusement. **TEST** de géo demain. Test d'espagnol. Pas le temps d'aller au **FOOTBALL**. Pas le temps de faire le ménage de ma chambre (tristesse profonde). Pas le temps de penser à ma fête. Bon, je vais sur Internet. Quelques minutes. Cinq. Parce que c'est mon chiffre chanceux. Pour quelle autre raison pas rapport ? **Objectif** : trouver *l*e place où **CÉLÉBRER** le début de mon année *foule* chanceuse.

Mes meilleures trouvailles. Option 1 : un studio de manucure trèèès cool ! Pour Antoine, Guillaume et *Bieber* ? **Re-fu-sé !** **Option 2** : paintball. **Re-fu-sé (bis) !** Mes amis gars vont aimer, c'est certain. Moi ? Je vais me faire tuer trop rapidement. Inaugurer son année chanceuse de la vie en étant **MORTE**, ça porte certainement malheur. **Option 3** : trapèze, escalade et de **LA** trampoline. J'entends ma mère, qui est à NYC mais qui lit dans mes pensées parce que c'est ma mère et qu'elle est *bollée*, me rappeler que ce mot est **MASCULIN** et que je devrais faire un effort pour parler comme il faut et tout et tout. Je me rebelle parce que « dans mon temps », on disait **UNE** trampoline, bon ! Ça, c'est une super trouvaille. Trop sur la coche !

La géo, maintenant. Je regarde dehors, il fait pas mal beau. Je pourrais faire un peu de vélo ? **N'an !** Après la géo. **DISCIPLINE**, Léa.

À : Antoine17@hotmail.ca
De : Lea.sec2@gmail.com
Objet : Je voulais savoir…

Antoine,

Je fête ma fête le 4 juin. Es-tu libre ? Je pensais trampoline et trapèze. Aimes-tu ça ? J'ai hâte de te voir. M'ennuiiie.

L :-*

À : Lea.sec2@gmail.com
De : Antoine17@hotmail.ca
Objet : Re : Je voulais savoir…

C'est sûr. M'ennuie aussi. On a gagné. La pratique, je veux dire. Va voir mes *pic* dans Facebook !

Tchawww

À : Antoine17@hotmail.ca
De : Lea.sec2@gmail.com
Objet : OMD ! Facebook ?

T'es sur Facebook ??? Cool !

:-*

ᴀɴᴛᴏɪɴᴇ est sur **Facebook** ! Enfiiiiin ! Je vais aller lui demander si je peux être son amie… A+

Cote du week-end : 12/10. Ma fête s'organise lentement ❤❤❤❤❤. Trop d'études quand il fait super beau dehors ☹☹☹☹☹. Lily va décorer mon gâteau ❤❤❤❤❤❤❤❤. Ma passion soudaine pour LA trampoline et LE trapèze ❤❤❤❤❤. Vélo avec Stéphanie et Lily ❤❤❤❤❤. Amie avec Antoine sur Facebook ❤❤❤❤❤❤❤❤❤❤.

Dans le bus. Avec Lily, je tente de finaliser ma LISTE d'invités. On récapitule en faisant bouger nos lèvres mais sans qu'un son sorte de notre bouche parce que **PVP** nous espionne. Ce n'est pas le plus grand secret du monde entier, mais ce n'est pas de ses affaires !

Mes lèvres miment ANTOINE. Lily a compris. Je pointe **Lily** du doigt. Ça va aussi. Je mime **Guillaume**, elle est d'accord. (On se rappelle. Elle le trouve cool !) **Sabine ?** Elle **ROULE** des yeux très comiquement. Ça doit vouloir dire oui. Un test, pour voir si elle comprend vraiment mes messages codés ou si elle fait semblant ou, pire, si elle pense que je veux inviter des inconnus. Ma fête serait tellement plate ! Mes lèvres miment **A-gla-é**. Elle mime celle qui vomit. Tout est sur la coche ! Elle tente de me dire quelque chose. Pyjama ? Non, c'est pas un pyjama *party*. De quoi elle parle ? **Pis Jérémie ?** (Elle a crié ! **PVP** a sursauté.) Pro-non-ce !

C'est vraiment épuisant, mimer des messages secrets avec les lèvres. Lire sur celles des autres aussi. On ne sera jamais **ESPIONNES**, c'est évident ! **Ouate de phoque !** Je me déçois moi-même.

– Léa, qu'est-ce qui se passe entre Aglaé et Jérémie ? Je pensais qu'il sortait avec Lily, depuis la danse, m'a demandé **PVP** en verrouillant sa case.

J'ai rougi comme une 𝓅𝒾𝓋𝑜𝒾𝓃𝑒 (une rouge, pas une blanche !) et je me suis précipitée dans notre local. Je ne sais pas quelle face j'ai faite à Lily mais elle a éclaté de rire. Ça lui apprendra, à **PVP**. Il avait juste à pas nous (mal) espionner. Il a tout compris de travers ! La semaine commence vraiment bien.

18 MAI

À notre NOUVELLE table. Martin fait un feu de camp, ce week-end. Il nous invite tous. Il a souligné très sérieusement qu'Océane n'est pas invitée. **Ouf !** Il nous a promis que ça va déménager. (Où ça ?) Antoine m'a demandé si je pouvais y aller. C'est certain ! Disons qu'il y a une étoile filante et que je ne la vois pas parce que je suis chez moi ? Pas question. J'y vais.

21 MAI

Je suis allée au dépanneur avec Lily. Moi en vélo. Elle, en **PATINS** à roues alignées. On a fait des provisions pour le feu de **CAMP**. J'ai acheté des guimauves et des chips. Lily ? Vous ne posez pas sérieusement la question ! Des framboises, franchement ! Je m'y connais pas **tant que ça** en framboises suédoises. Et comment ça va avec son merveilleux *Bieber* ? Correct, qu'elle m'a répondu. Juste correct ???????? **Ouate de phoque !** Je le savais **tellement** !

22 MAI

– S'il y a quoi que ce soit, tu m'appelles, Léa. D'ac-O-d'ac ?

– D'ac-O-d'ac, papa. (**OhMonDieu !** J'ai vraiment dit ça.)

– As-tu une cagoule, une VESTE, un vêtement chaud ?

– Oui, papa. (J'ai aussi une veste de sauvetage, un casque de vélo et une trousse de premiers soins. **Ouate de phoque !** RELaXe un peu !)

– Veux-tu mon cellulaire ?

– Pas besoin, monsieur Beaugrand, j'ai celui de ma mère, a répliqué Lily en agitant un cell sous le nez de mon père.

Elle est déchaînée, ce soir !

– Bonne soirée, les filles. Je serai ici à 22 h.

– Papaaa ! 22 h ! Peux-tu être ici à minuit ? On a congé lundiii !

– Inquiétez-vous pas, monsieur Beaugrand. Les parents de Martin sont là.

– Booon ! OK, 23 h 30. Bonne soirée, les filles. Soyez sages, là.

Les gars s'affairent déjà autour du plus gigantesque feu de camp de ma vie.

– Salut, les filles. Moi, c'est Karine, la sœur de Martin. Venez...

Martin a une **sœur** ? Pauvre elle ! Elle est plus vieille que nous et elle est plus... mieux... moins... Enfin, sa poitrine n'est pas un grain de **MAÏS** qui refuse d'**ÉCLATER**... Lily regarde ses grains de maïs timides, elle regarde Karine et rougit. Je la comprends trop. Une poitrine, pour une fille, ça a de l'importance.

Je ne sais pas si c'est moi qui imagine des choses (ça m'arrive encore, parfois), mais la sœur de Martin s'entend bien avec *Bieber*. Elle lui demande de l'aide pour tout et, surtout, pour rien. Elle est vraiment *nouille* si elle ne peut pas faire éclater du *Jiffy Pop* elle-même ! Et lui, qu'est-ce qu'il fait ? Il lui fait éclater son **POP-CORN** sans se rendre compte de rien. **ET LILY ???** Tu ne sais plus qui c'est ? Je te rappelle que c'est TA blonde, pauvre cruche ! Guillaume est triste et il regarde Lily qui essaie de faire griller une guimauve en dansant, assise sur une chaise de parterre.

J'essaie de me faire comprendre de ma *BFF* avec des signes **évidents** mais Lily ne décode rien parce qu'elle est *hypnotisée* par sa guimauve qui brûle (Au FEU !). Pendant que ma *BFF* est envoûtée,

Antoine lance une poignée de sucre dans le feu. C'est fou. On dirait que le sucre dessine de petites **FLAMMES** dans les grosses.

Martin, qui célèbre la fête des Patriotes avec beaucoup de ferveur – il ne fait rien à moitié, sauf ses devoirs –, avait prévu le coup, lui aussi. Il lance des **FILS** de cuivre dans le feu. C'est tellement beau. Des flammes vertes, bleues et turquoise.

Moi, je me **serre** contre Antoine. Je suis trop bien. J'aimerais que le temps s'arrête ; j'aimerais voir une étoile filante ; j'aimerais avoir le temps de formuler un souhait (ce qui exige beaucoup de vivacité d'esprit) ; un seul (même un seul, ça exige que nos neurones soient au garde-à-vous) ; j'aimerais que Jérémie soit plus mature ; j'aimerais que Guillaume ne soit pas triste ; j'aimerais que Lily ne mange pas autant de guimauves parce que je n'ai pas envie qu'elle **VOMISSE** dans l'auto de mon père ; j'aimerais que mon père ne pose pas de questions si Lily vomit ; j'aimerais avoir plus que zéro chance que ça se produise – le silence de mon père si Lily est **MALADE** dans notre auto ; j'aimerais que les pensées qui **TOURNENT** dans ma tête comme le carrousel de Central Park s'arrêtent enfin pour que je puisse profiter de ce qui m'arrive ici.

Enfin !

– Léa, tu le sais, toi. *Bieber*, il **mérite** pas une fille comme Lily. Pourquoi elle voit rien ? Pourquoi elle m'aime pas ?

– Je sais pas. Mais t'as raison, Guillaume. Mille fois raison. Tu sais que Lily te trouve super cool ?

Je le jure sur la tête du plus beau feu de camp de ma vie : je ne me mêle plus des **HISTOIRES** de cœur de mes amis.

– Je suis cool mais ça change pas grand-chose, hein !

J'ai protesté sur un ton peiné :

– C'est pas vrai... C'est tellement faux. Ça va changer des choses. Un jour. Je le sens.

OhMonDieu ! Le feu de camp réveille la **voyante** *extralucide* en moi. Je vois bien qu'Antoine se retient pour ne pas éclater de rire. En tout cas, je me comprends !

Je ne me rappelle pas qui a commencé. Je ne sais plus qui a suivi. Mais on a fini par *chanter* une chanson de camp. C'est super *poche*, je sais, mais il faisait **noir** ! **Non !** Pas *Feu, feu, joli feu/Ton ardeur nous réjoui –E*. Quand même !

Il faut nous imaginer, autour d'un feu qui nous brûle le visage, nous **tenant** par les épaules en nous balançant doucement, et surtout, en faussant « aussi bien » que la chorale de l'école :

Qui peut faire de la voile sans vent

Qui peut ramer sans rames

Et qui peut quitter son ami

Sans verser une larme-eee [28]

Vous auriez été émus, vous aussi...

La fête est finie. Les gars ont lancé du **SABLE** sur le feu. Une fumée tristounette s'est échappée de notre ancien **FEU** de camp. Guillaume a rejoint Lily qui lui raconte une tranche de vie palpitante. Elle ne parle plus à *Bieber* qui ne comprend pas ce qui lui arrive et surtout, pourquoi toujours à lui ? Je sais pas... T'es malchanceux ☺ ! **Ouate de phoque au cube !** Réveille !

Lorsqu'on a laissé Lily chez elle (non, elle n'a pas vomi), elle est entrée par la porte qui conduit directement au sous-sol. Pour éviter toute attaque **SOURNOISE** de *flanellette*. Mon père a tenté de jaser, mais nous étions muettes. Alors, il a écouté son CD de Fiori, son **COUP** de cœur du moment. Vous voyez le genre. Pourquoi faut-il toujours qu'il m'hu-mi-lie ? Au moins, il aurait pu mettre le CD de Vincent Vallières. J'aime sa chanson *On va s'aimer encore*...

---

28. Extrait de la chanson *Qui peut faire de la voile sans vent*, très populaire dans les camps de vacances. En tout cas, c'est ce qu'on dit.

Je m'en vais au parc, prendre des nouvelles de ma *BFF*. La vieille Ida me regarde croche derrière son rideau de **DENTELLE** qu'elle ne réussit même plus à tenir fermement. Je lui envoie la main, elle laisse tomber le rideau. Un à zéro pour moi, Ida !

Lily ne va pas trop mal. Elle me dit qu'elle a compris, la nuit dernière, que l'amitié ne se transformera pas en amour d'un coup de baguette magique. C'est certain ! Les baguettes magiques, c'est dans les de Disney, pas dans la vraie vie ! Elle va parler à Jérémie d'ici mardi. Ça veut dire bientôt. Elle est tellement lucide, ma *BFF*.

– Lily, tu voulais sortir avec lui…

– Tu sais, la petite voix *achalante*…, celle dont tu parles tout le temps avec ton air de voyante *extra-lucide*. (Elle exagère là !) Hier soir, c'était évident. On avait tellement plus de fun avant. *Bieber*, c'est mon **BFF gars**, pas mon chum !

– T'es vraiment extralucide, toi aussi !

– C'est les framboises qui font ça ! Franchement, je vois pas autre chose, me répond Lily, en faisant des efforts pour prendre un air sérieux sans y parvenir parce qu'elle est crampée.

Il faut que je me confie, maintenant que sa vie est sous contrôle. Je lui parle d'Antoine, de Mehrad et du programme tennis-études qui F·A·S·C·I·N·E tant Antoine.

– Sais-tu ce que tu me dirais ? Ben, demande-lui donc ! Écris ça sur ta A-Liste si ça peut t'aider.

– !!!

Ah oui. Ma A-Liste. J'en ai encore besoin même si j'ai PRIS ma vie en main ?

17~ Offrir la photo d'A et de moi à A

18~ Rapporter le sarrau à A

19~ Glisser un petit mot doux dans la poche du sarrau d'A

20~ Inviter A à mon spectacle de danse

21~ Demander son adresse à A

22~ Aller à la danse du printemps avec A demain 6 mai

23~ Demander franchement à A s'il change d'école

À : Antoine17@hotmail.ca
De : Lea.sec2@gmail.com
Objet : Je voulais savoir…

Antoine,

Vas-tu changer d'école ? Tu parles souvent de tennis-études, là.

L :-*

Quelques secondes après avoir appuyé sur le **BOUTON** Envoyer. (Il répond plutôt vite, Antoine.)

À : Lea.sec2@gmail.com
De : Antoine17@hotmail.ca
Objet : Re : Je voulais savoir…

Léa,

Y a pas de place en tennis-études. En plus, ma mère m'a acheté du linge pour l'an prochain ! Pis je tiens à… ☺ ETK, je pars pas, bon.

Tchaw ♥U2

Euh ! Je me suis encore monté la tête. Je me fais à moi-même. Minute ! Il sait qu'il n'y a pas de place. Ah ! Il s'est donc informé ! Ah ! Ah ! Je ne me suis pas VRAIMENT monté la tête. J'ai peut-être de l'intuition. Ça devrait me rassurer, cette découverte sur mes dons que je sais désormais utiliser quand il faut !

C'est à moi qu'il tient ? Ne te monte pas la tête, Léa. Il a écrit ♥U2 ! Entre nous, c'est à  qu'il pensait lorsqu'il a écrit ça. (Ou à U2 ? Le groupe, genre ?) **Nan**, c'est à moi. C'est à moi, douda, douda.

17~ Offrir la photo d'Ⱥ et de moi à Ⱥ

18~ Rapporter le sarrau à Ⱥ

19~ Glisser un petit mot doux dans la poche du sarrau d'Ⱥ

20~ Inviter Ⱥ à mon spectacle de danse

21~ Demander son adresse à Ⱥ

22~ Aller à la danse du printemps avec Ⱥ demain 6 mai

23~ Demander franchement à Ⱥ s'il change d'école
♥U2!!

Cote du week-end : 11/10. Beau party ♥♥♥. Super beau courriel ♥♥♥♥♥♥♥♥. Ma mère est revenue et passe deux jours ici ♥♥♥.

24 MAI

– J'ai corrigé vos travaux sur le roi Arthur. (C'est pas trop tôt !) Il y a de bons textes, de très bons, même. Et plusieurs NAVETS. Certains d'entre vous auraient pu faire un effort !

Elle regarde dans la direction de **PVP**, qui ne comprend pas ce qui se passe. (Moi non plus !) La **MIMIQUE** qu'il fait ? Inestimable. J'allais dire *priceless*, mais c'est le cours de français, je fais un effort pour penser dans la langue qui convient (??). Je FABULE (quel beau mot). **PVP** aurait bâclé un travail ? Je n'en crois pas mes neurones qui sont épuisés par une année scolaire qui s'étiiiiiiiiiiiiiiiiiii i i re trop.

La prof veut nous prouver qu'il y a des personnes qui ont vraiment TRAVAILLÉ fort. (Gnan ! Gnan !) Elle lit un extrait « au hasard » :

– Lancelot, mon amour, mon amant,

Vous êtes parti depuis si longtemps,

Je me languis de vos regards amoureux, L'attente est un enfer trop douloureux...

Silence dans la classe. C'est mon **TRAVAIL** !!!
Je me concentre. Mon but : être télétransportée au
sommet du mont Sutton. J'ouvre les yeux. Ça n'a pas
fonctionné comme je voulais. Je suis toujours assise
à mon pupitre, rouge comme un **homard** trop
cuit. Il me faudrait plusieurs **PILULES** de gerbe des
frères Weasley[29]. Immédiatement !

– Vous voyez, ce n'est pas si compliqué de faire des
travaux qui sont présentables. (Quoi ? **Présentable ?**
Elle me niaise, là ! Ce n'est pas seulement présentable !
C'est super méga excellent ! Elle est comme ma mère.
Jamais contente !) **Cet-te** élève y a consacré le
temps nécessaire.

Pas tant que ça, madame !!! S'il-vous-plaît-s'il-
vous-plaît-s'il-vous-plaît, ne me questionnez pas, mes
joues n'y survivraient pas.

– Madame, c'est une fille, hein ? (La prof fait oui de
la tête.) C'est pas juste !

PVP, je t'aime trop (comme ami, je veux dire). Je
suis en train de devenir une *véritable* girouetta. Il
ne reste que vingt-quatre jours avant la fin de l'année.
C'est. Trop. Looong !

---

29. Dans le roman *Harry Potter*, les jumeaux Weasley ont inventé
des pilules qui font vomir au bon moment. Ça devrait apparaî-
tre sur la liste d'articles scolaires. Elles n'y sont pas. J'ai vérifié.

– T'as eu combien, Léa ?

Océane m'adresse la parole **MAINTENANT** ? Promotion...

– Pavel Buré[30] !

– ...

KC, Océane ! Si tu veux savoir ma note, va falloir chercher. Là, je m'épate. La bonne réponse au bon moment. Sans rougir. Sans bafouiller. Je change trop. Pavel Buré. **Mouaaah !** Mes neurones sont trop dedans aujourd'hui !

Ma mère est à la maison. J'ai trop hâte de lui montrer que ses conseils ont porté leurs **FRUITS**. (Je dis ça sans réfléchir. Malgré ma note de *nerd*, je n'ai pas mangé de fruits en écrivant ce poème. Une autre **expression** trop étrange.) 96 % !!! C'est pas de la **gnognotte** comme elle le dirait elle-même. (Ça fait seulement deux jours qu'elle est là et je parle comme elle. C'est passager.)

---

30. Joueur de hockey des Red Wings de Détroit. Il porte le numéro 96 ! Pourquoi je sais ça ? C'est l'idole de mon père. Je n'ai rien à voir là-dedans.

– MAMAN, regarde mon journal de Guenièvre. 96 % ! C'est bon, hein !

– Je peux le lire ?

Je lui tends mon travail, trop fière de moi.

– **C'est Mozart qu'on assassine !**

La remarque de ma *bollée* de mère m'étonne. Qui voudrait assassiner un MORT ? Mais il y a tant de choses que j'ignore. Ça en fait une de plus.

– Ta prof est folle. Ça vaut 100 %. **Au moins !** Je vais lui parler moi ! Pas contente de donner des billets blancs sans raison, elle ne sait pas reconnaître le génie quand il se présente devant elle.

100, **au moins** ??? Je ne suis pas **si** forte en math mais ça doit être *parissime* d'obtenir plus que 100 %.

– Maman, il y a certainement quelque chose que t'as pas saisi. C'est la **meilleure** note de la classe.

– Cette femme n'a aucun jugement.

Je rigole en silence. Parce que ma mère en a plus, peut-être ? Franchement. (Elle est en transe. Elle **ATTAQUE** *une* membre de sa sororité – c'est une confrérie pleine de filles. **Ouate de phoque !** Ça va vraiment mal.)

– Pourrais-tu juste me féliciter qu'on puisse souper ?

– C'est ce que je viens de faire !

— **Ben, merci d'abord !** ai-je crié, rouge de colère.

Ma mère et moi, on *s'aime*, c'est pas le problème. Mais on doit se côtoyer à dose homéopathique. C'est comme ça. Je le sais depuis que j'ai sept ans. Elle ? Elle ne le sait pas encore, on dirait.

Quand repart-elle pour **NEW YORK**, au juste ?

25 MAI

À notre NOUVELLE table. *Bieber* a l'air piteux. Il regarde Lily un peu, mais pas trop. Lily a déjà pris sa vie en main. Sans J-Liste en plus. Guillaume est transfiguré. Il a l'air *heureux*, je veux dire... Il n'a pas changé de visage pendant le week-end ! Je ne sais pas si Lily s'en rend compte. Je vais **peut-être** lui en parler. Subtilement.

— Y a du **SOCCER**, ce midi. Qui vient ? Lily ?

Même pas besoin. Guillaume prend sa vie en main.

Tout le monde veut y aller. Des congés, du pop-corn, des guimauves, des chansons *poches* fredonnées en chœur, ça crée des liens. J'aime ma **GANG**.

Dans le bus. **PVP** n'est pas là, alors on peut s'exprimer librement. Benjamin écoute parfois, mais c'est pour nous donner des conseils farfelus.

– Tu lui as parlé quand, à *Bieber* ?

– Hier soir, répond Lily en mangeant des *jelly beans* avec beaucoup d'appétit. (Les noires sont les meilleures, selon elle.)

– C'est toujours ton *BFF* gars ?

J'aimerais qu'elle me dise non. Je sais pas pourquoi... Mes doigts sont croisés. Comme mes chevilles. Et certains neurones aussi !

– Toujours !

Je décroise tout ! Même mes neurones ne savent plus quoi penser. Alors imaginez moi...

27 MAI

J'ai une belle photo d'Antoine devant le feu de camp. J'ai fait faire un superbe poster. Il a pris la place d'Edward Cullen. De toute manière, il était de moins en moins flamboyant depuis le mois de février, Edward. La fée Clochette, qui VOLTAGE gracieusement au-dessus de mon lit, est d'accord avec moi, elle.

C'est une chance que ma mère soit à NYC. Elle capoterait pas mal si elle savait que j'ai fait finir la photo d'un gars et que je l'ai collée sur le MUR de ma chambre. C'est ce que je crois. Je ne lui ai pas demandé. Lulu ? Elle trouve que c'est une super bonne idée. Mon père ? Il m'a demandé si c'est l'espion du film *Mission impossible*. J'ai beaucoup de CHANCE que mon père soit aussi perdu. D'après moi, c'est sa meilleure qualité.

28 MAI

Je montre mon POSTER trop romantiiiiiique à Lily. Elle ne s'exclame pas assez à mon goût. Pourquoi ??? C'est *foule* original, trop sur la coche, même.

Est-ce que j'ai fait une gaffe en lui montrant ? Quand elle aura un poster de Guillaume dans sa chambre, elle me comprendra mieux.

Est-ce que je suis trop intense en amour ? (J'ai fait finir un poster d'Antoine, quand même.) Lulu trouve que c'est une bonne idée, elle. Elle lui trouve une ressemblance avec Brad Pitt. Pfff... AUCUN. RAPPORT !

Trop intense ? Juste assez intense, je pense.

Je pense que je suis vraiment intense. Je devrais me calmer un peu. Respirer pro-fon-dé-ment. C'est juste du papier, quand même. Bon, un grand MORCEAU de papier coloré, collé sur un mur vert pomme assez choupinet. Juste du papier. Faut pas capoter avec ça. C'est une belle photo, quand même. Son sourire est chouette. Pas chouette, Léa. Super **CRAQUANT** ! On dirait qu'il me regarde aussi. C'est certain que c'est agréable. Et je peux m'exercer à ne pas rougir quand il me regarde. C'est un autre avantage.

OhMonDieu ! Il est teeellement beau et je suis **TROP** chanceuse d'avoir son poster sur les murs vert pomme de ma chambre. C'est bien ce que je disais : je pense que je suis vraiment intense ! Mais juste un peu...

LOVE

Que faire lorsqu'on se retrouve à la croisée des chemins et qu'il n'y a pas de drapeau rouge pour indiquer la voie à suivre ?

2 JUIN

②　dodos avant ma fête.

Lulu a l'air intense. (Elle est peut-être en AMOUR, elle aussi. À méditer !) Elle me fait des cachettes. C'est un peu normal, c'est ma fête samedi. Je sais que Lily lui téléphone et elles chuchotent quand je passe trop proche de Lulu. Comment je le sais ? L'afficheur, franchement !

LULU a eu une super idée pour le cadeau des invités. Ça a demandé un peu de réflexion car ils ne collectionnent plus les autocollants depuis quelques années. Elle a acheté des bouteilles d'eau en alu vert pomme. Elle a collé de grosses **ÉTIQUETTES** sur chaque bouteille. Et sur les méga belles étiquettes, elle a dessiné une fille qui saute sur **UNE** trampoline ! Sur le chandail de cette super athlète, le nom de l'invité. Elle est vraiment douée pour le **dessin**, Lulu. Dommage qu'elle ne m'ait pas transmis cette aptitude ! Moi, je vais *remplir* la bouteille d'eau avant la fête et la leur donner. Je sais qu'on donne le cadeau à la fin. J'anticipe. Mes amis auront peut-être soif après avoir trop sauté.

3 JUIN

LULU, ma belle petite mémé à moi, a un AMOUREUX ! Je le savais qu'elle était intense sans raison et qu'elle me cachait quelque chose ! (Vous aviez oublié mon *extralucidité* ?) Elle l'a rencontré pendant la croisière. Je le savais qu'elle avait quelque chose de changé quand elle est revenue. Je me disais que sa bonne humeur n'avait rien à voir avec son bronzage, qui était très réussi quand même. Mais on ne **chantonne** pas tout le temps parce qu'on est bien bronzé. Franchement. C'est exagéré.

Il est **GENTIL** avec moi, mais quel prénom pas rapport au max : Herménégilde. Et aussi, quand il fait des sourires à Lulu, elle rougit comme moi et elle sourit trop. Peut-être qu'elle ne viendra plus me garder-sans-me-garder quand ma mère est à **NYC** pour pouvoir remplacer Machiavel Gendron un jour à Montréal. Je trouve que les adultes changent tout le temps, comme si leur vie ne leur plaisait jamais. Moi, depuis que j'ai une vie, elle me plaît et je ne veux surtout pas qu'elle **CHANGE**. Je suis trop différente des adultes qui m'entourent. Des fois, ça m'inquiète.

En tout cas, Herménégilde (je ne sais pas si je vais m'habituer un jour à ce prénom étrange. Vous en connaissez, vous, un Herménégilde ? Pas besoin de répondre, je sais bien que non.) a les cheveux tout blancs et des yeux bleus et il m'appelle **MAMZELLE** Léa. Il raconte tout plein d'histoires du temps où il vivait à la **CAMPAGNE** et il fait rire Lulu. (Elle a raison, ses histoires sont très drôles. Pas mal plus que celles de mon père qui sont tellement perdues et dont il est le seul à rire.) C'est un point **trèèès** positif pour monsieur H.

Lily l'a rencontré ce soir et elle a dit que ça me ferait un super grand-père. Il lui a chanté une chanson qui parle d'une fille qui voulait aller danser[31]. Il va bien s'entendre avec mon père. Un répertoire de chansons **pas rapport**, mon père va tellement tripper. Lily et monsieur H ont bien rigolé ensemble. Elle lui a donné des framboises qu'il a mangées tout de suite.

Lily m'a souligné que je devrais pas me méfier autant des gens. Elle le trouve *foule* cool. Je suis méfiante, moi ? Je ne suis pas méfiante, je suis trop naïve. Un exemple ? **Océane** ! **KC** !

Monsieur Dieu, j'ai une micro faveur à vous demander. Pas compliquée du tout, vous allez voir. Un claquement de doigts et **ZOU**, c'est arrangé. Pouvez-vous vous assurer qu'ils ne s'embrasseront jamais devant moi ? Je. Ne. Pourrais. Pas. Supporter. Que. Ma. Lulu. Embrasse. Un. Autre. Homme. Que. Mon. Pépé. (que je n'ai pas connu mais ce n'est pas vraiment pertinent dans mon histoire) Devant. Moi. Merci.

Je crois que j'ai formulé clairement ma requête. J'ai croisé les doigts en même temps. Pour plus d'efficacité. Elle devrait se rendre à **destination**.

Est-ce que monsieur H va vouloir assister à ma fête ??????????? Je le connais même pas. Je pense que j'aimerais pas ça, qu'il soit à ma fête. Même s'il a l'air

---

31. Clin d'œil à la chanson *Lili voulait aller danser*, écrite par Luc Plamondon et interprétée par Julien Clerc. Ma mère le trouve beau !

gentil. Il n'est pas sur la liste que j'ai donnée à Lulu. Elle ne va pas me faire ça. Ça serait **VRAIMENT** nul.

JE SUIS ÉNERVÉE. C'EST MA FÊTE DEMAIN ! JE NE DORMIRAI PAS. MES YEUX SERONT *FOULE* CERNÉS. JE SERAI SUPER **LAIDE** SUR LES PHOTOS. CE SERA DÉ-SAS-TREUX.

J'ai négligé mon horoscope ces derniers jours. Je vais lire un peu et ça va me fatiguer et je vais m'endormir comme ça. **POUF !**

Amours : Faites attention à ce que vous dites. Certains mots peuvent blesser. **Amitiés :** Vos amis sont là pour vous. C'est une grande richesse. Sachez le reconnaître. (Euuuh. Depuis quand il fait la morale ? Il y a Brisebois pour ça.) **Finances :** Surveillez votre portefeuille. La Bourse est instable en ce moment. (Et mon portefeuille Hello Kitty ? Il est instable, lui aussi ? N'importe quoi.) **Famille :** Vous pouvez compter sur les membres de votre famille. Ils seront toujours là ! **Votre chiffre chanceux :** le 7.

Et Vénus qui devait faire comprendre à mes parents, **EN JUIN**, à quel point je suis une personne mirifiiique ? Ma planète fétiche a changé d'idée à mon sujet depuis janvier. Quand les planètes se **transforment** en *girouettas*, nous ne sommes plus en sécurité nulle part.

Qui sera toujours là ? Herménégilde ? Il ne fait pas partie de ma famille, lui. Mais s'il changeait d'idée et qu'il s'incrustait ?

Je ne sais même plus **décoder** mon propre horoscope ! Même l'astrologue ne comprend plus rien... C'est normal que, moi aussi, je sois un peu mêlée. Dors, Léa.

4 JUIN

– N'oubliez pas. Le secret de LA trampoline, c'est de rester sur le gros X. C'est là qu'on rebondit le plus. C'est là que c'est le moins dangereux aussi !

Comme on ne peut pas tous **sauter** en même temps – le X est pas si gros que ça – on attend notre tour en niaisant. *Antoine* s'installe. Il saute tellement haut. Il fait des culbutes dans les airs et le moniteur est *foule* impressionné.

– Léa, comment te sens-tu ? Tu commences ta quinzième année quand même ! me rappelle Lily qui imite un journaliste de la télé en tenant un énorme suçon rose et vert sous mon nez.

Vous devriez la voir. Son chandail I ❤ candy lui va **vraiment** bien.

– Ma quinzième année ? T'es mêlée comme un jeu de... T'es mêlée rare ! J'ai quatorze ans moi ! Pas quinze.

– J'ai t'ai eue ! T'as quatorze ans. Donc, tu commences ta quinzième année aujourd'hui. Cas-sée, ma vieille !

Ça vous donne une idée de l'ambiance autour de la trampoline. *Blink !*

Quand on a eu tous sauté – moi j'ai sauté *foule* haut en faisant le grand écart –, on s'est dirigés vers la CORDE de Tarzan. Je sais, ça a l'AIR bébé comme ça, mais c'est trop cool. On agrippe la corde, on s'élance et là, au milieu de la fosse remplie de morceaux de mousse, on se laisse tomber. (Moi, j'ai crié Yabadabadou quand je suis tombée. Choix personnel !)

– Faites attention à vos bas. La fosse aux lions va les manger ! (Une blague recyclée d'un CAMP DE JOUR pour les 5-6 ans, c'est certain.) Recroquevillez vos orteils comme ça (démonstration odorante) si vous ne voulez pas retourner chez vous nu-pieds.

Et le moniteur rit tout seul. Il a eu l'air cruche, là.

Tout le monde a survécu à la fosse sauf Karo qui a perdu un BAS (Hello Kitty quand même !).

Lily a pris les opérations en main et on a cherché le ti-bas-perdu-de-Karo qui s'excusait tellement. (C'est Karo qui s'excusait, pas le ti-bas.) Une belle activité, la-fosse-aux-ti-bas-perdus, qui a évidemment dégé-néré en bataille de CUBES de mousse. Le moniteur nous regardait, légèrement désespéré. Trop drôle.

L'**ESCALADE** a été plus rock'n'roll. On escaladait le mur par équipe de deux. Moi, j'étais avec **Antoine**... On s'est donné un bisou en haut pendant que nos amis nous **applaudissaient**. J'ai maturé moins que je pensais parce que j'ai rougi. J'espère que ça ne paraîtra pas sur la photo que mon père a prise. Ça, ce n'est pas très **GRAVE**. Mais quand Jérémie s'est organisé pour escalader le mur en même temps que Guillaume, là, on était un peu plus sur les nerfs.

– Je suis meilleur que toi, mon Ti-Gui ! a dit Jérémie en montant d'un niveau.

– Peut-être. Mais moi, je suis **très** patient, mon *Bieber* ! a répliqué Guillaume, en gravissant deux **NIVEAUX**, très fier de lui.

– Pis ça fait quoi, ça ? a dit Jérémie, l'air tellement arrogant.

– Ça fait que c'est moi qui sortirai avec Lily ! a dit Guillaume, arrivé au sommet.

– Bof ! a conclu Jérémie en arrivant en haut lui aussi.

On a **TOUT** entendu. On les regardait. Ils se dévisageaient. Ils sont descendus en même temps. Arrivé à deux échelons du sol, Jérémie s'est donné un élan vers la droite et a cogné Guillaume en s'excusant trop fort et trop longtemps.

Le moniteur a attrapé Jérémie. Et Lily ? Elle a rougi. Il va se souvenir de nous, le moniteur.

Franchement, je vais me SOUVENIR longtemps de ma fête de quatorze ans. C'était sur la coche !

À la maison, nous sommes tous entassés dans mon sous-sol miteux mais chaleureux. Lily toussote en me faisant des faces que je fais semblant de ne pas comprendre.

LULU a apporté le gâteau. JE. N'AI. PAS. DE. MOTS. PARCE. QUE. C'EST. LE. PLUS. BEAU. GÂTEAU. DE. LA. VIE. Je vous explique. C'est un gâteau au chocolat recouvert de **fondant** blanc. Lily l'a décoré. C'est le cadeau qu'elle m'a offert et je pense que c'est le plus beau CADEAU de ma vie.

Elle a fouillé dans ma penderie (avec la complicité de Lulu). Elle a retrouvé ma maison Polly Pocket de quand j'avais cinq ans. (Je l'avais perdue, alors, je suis contente qu'elle m'ait fait des cachettes et qu'elle l'ait retrouvée.) Elle l'a posée au centre du gâteau. Autour de ma petite maison, elle a planté une forêt de sucettes roses et vert pomme. La forêt de Hansel et Gretel !!! OhMonDieu ! Tout autour, elle a fait des FLEURS avec tous les bonbons roses qui existent dans le monde entier : des framboises, des fraises Tagada, des *jelly beans* roses, en tout cas, du rose partout.

Personne ne parle parce que c'est trop bon. Lily peut enfin manger des **bonbons** sans que les adultes s'inquiètent pour elle. Elle est debout et elle **SAUTILLE** pendant qu'elle mange.

Guillaume installe sa console sur la télé maléfique. J'ai un peu **peur**. Lily, qui a tout organisé, a demandé à Guillaume d'apporter sa console de jeux vidéo. Elle lui a dit et je cite : « Apporte un jeu qui va intéresser toute la *gang* ! » Il a répondu : « Tu peux me faire confiance ! » **Ouais...**

Il vient tout juste d'allumer la console. Quel jeu s'affiche ? *Battlefield !!!* Antoine et Jérémie se précipitent. Lily me regarde. Ses yeux s'excusent. Sabine ne comprend rien et se fait tuer avant d'avoir pris la commande dans ses mains.

Bon, quand j'ose enfin tenir la commande, je lance des grenades. Je trouve ça moins violent qu'un **FUSIL**. D'après ce que je constate, c'est pas mal moins efficace aussi ! Je me fais tuer assez vite. Je n'ai pas plus de talent à *Battlefield* qu'aux *Loups-Garous*.

– Guillaume, comme c'est ma fête, je peux avoir les codes de triche ? S'il-te-plaîîîît !!! Juste un !!

GRRR ! Il ne veut pas. Antoine non plus. **Zut !!** On a joué longtemps, finalement. Disons qu'on était ensemble, c'est ça qui compte.

Je suis dans ma chambre. La fête est terminée. Ça a été une très belle fête. Mon année chanceuse commence vraiment bien ! Grâce à Lulu, mes parents (j'ai de super belles photos), Lily et tous mes amis. Même Jérémie. Il a mis du **PIQUANT** dans la journée.

Cote du week-end : 14/10. Ma fête ❤❤❤❤. Le gâteau de Lulu ❤❤❤❤❤❤❤. La déco de Lily ❤❤❤❤❤❤❤. Antoine ❤❤❤❤❤❤❤❤. Le jeu de Guillaume ❤❤❤.

8 JUIN

Aujourd'hui, dernière journée officielle de cours. Je suis assise à notre NOUVELLE table avec Antoine qui m'explique son horaire d'entraînement estival de FOOTBALL. Il va beaucoup s'entraîner, cet été. En l'écoutant me raconter son sport avec autant de passion, je me suis souvenue de mon premier dîner de l'année. Mon cerveau ? Toujours le champion du SAUTE-MOUTON.

Je suis passée à travers une année qui me faisait **TERRIBLEMENT** peur. (Tellement *extralucide*.) C'est déjà fini et j'ai survécu. Peut-être que, parfois, je m'en fais un peu trop avec la vie. Faudrait que je réfléchisse sérieusement à ça, cet été.

Martin se précipite vers nous, aussi vite que son bol de soupe dansante le lui permet. Il est très énervé, lui qui n'est pas nerveux. La fin des cours a une mauvaise influence sur lui.

– Vous devinerez **jamais** ce qui s'est passé.

Pas besoin, il va nous le dire, après avoir fait quelques niaiseries, comme d'hab ! Certainement une **BLAGUE** pas rapport pour bien terminer l'année. Vas-y. Dis-nous ça.

– La Banane a insulté Brisebois. **Madame** Brisebois discutait dans le corridor avec un directeur adjoint. La Banane est passée à côté d'eux. Elle s'est arrêtée, les a menacés avec son doigt et leur a **hurlé** DISTANCE ET DISCRÉTION, puis elle s'est enfuie en courant après les avoir bousculés.

Qu'est-ce qui est pire ? Insulter un membre de la direction, le bousculer ou courir dans les CORRI-DORS de notre BELLE école ? D'après moi, c'est équivalent. Non, la course est pire. En tout cas, je voudrais pas être à la place d'Océane.

Du calme, Léa. Je crois pas cette histoire. Ça a l'air trop arrangé pour être vrai. C'est une nouvelle légende urbaine. Dans notre école, il y en a des dizaines.

– La Banane sera renvoyée de l'école, c'est sûr. En plus, elle a reçu un billet rouge, a conclu Martin d'une seule traite.

Lily arrive en courant aussi vite que possible quand on a un bol de soupe ET un verre de LAIT *foule* plein dans son cabaret. Elle a les yeux trop **ronds** pour que tout soit normal.

– J'étais aux toilettes. Vous devinerez jamais ce qui s'est passé... Océane... Un **BILLET** rouge...

– Je l'ai dit le premier !!!

– OK. J'étais aux toilettes. Hummm, la soupe est bonne aujourd'hui. Elles sont entrées... **Océane** et Aglaé, je veux dire. L'idée était d'Aglaé. Elles devaient dire *Distance et discrétion* ensemble. Mais la Papesse-de-ce-qui-est-vraiiiment-*in*-dans-la-vie n'a rien dit. Elle est passée devant le trio comme si de rien n'était. Passe-moi donc le sel, ça manque de goût, finalement !

– **Ouate de phoque !** Lily... Tu es l'espionne de l'année !

Je suis **ABASOURDIE**. (Ma mère va certainement me donner la médaille du bon-parler français.) **Océane** a du culot : bon point. Se laisser manipuler par la Papesse-de-ce-qui-est-vraiiiment-*in*-dans-la-vie : moins bon point.

– *Gang !* Faut pas oublier le mississipi ! Dernière partie de l'année. *Let's go !*

En disant ça, Guillaume a fait les plus beaux yeux **DOUX** à Lily, qui rougit comme une bouteille de ketchup. Je la comprends tellement.

– T'as raison, *man*, approuve Antoine. Mississipi !

Je ne laisserai pas mon **AMOUREUX** battre tout le monde sans assister au massacre. À plus.

La rumeur circule maintenant dans toute l'école. Je croise la prof d'anglais, ma prof **PRÉFÉRÉE**, et je lui demande si tout ce qu'on entend est vrai. Elle me dit qu'il y a beaucoup de vrai dans ce que j'entends et beaucoup de faussetés aussi. J'aurais préféré qu'elle me dise de me mêler de mes affaires ! Parce que sa réponse, elle veut rien dire du tout.

– Océane a été suspendue pour le reste de la journée. Tu sais, Léa, elle a été très agressive, ton amie. (Erreur, madame. Océane n'est pas mon amie et ne le sera jamais.) À l'**HEURE** qu'il est, elle attend ses parents à l'infirmerie.

Un peu de **GLACE** contre l'**AGRESSIVITÉ** ? C'est merveilleux !

– Elle va être renvoyée ?

J'ai posé cette question sur un ton que j'essaie de rendre indifférent mais je ne sais pas quelle face a accompagné ma demande. J'espère que je n'ai pas fait un large sourire. Ça pourrait la mêler ! Ma chère prof me sourit. Elle me souhaite de bonnes vacances (une autre adulte perdue. Les **EXAMENS** finaux, ce sont des vacances ? Première nouvelle !) avant d'aller se cacher dans le salon des professeurs. Ça veut dire oui. Je pense. En tout cas, je me comprends.

– Je vous l'ai dit au début de l'année, dit Benjamin, fier de lui. Vous m'avez pas cru. Le **CODE DE VIE**, les amis, faut lire entre les lignes. Mais là, sur les lignes, ça dit clairement qu'il ne faut pas insulter les membres de la direction. Votre amie en a insulté deux en même temps. Elle va être renvoyée, c'est certain !!

Océane n'est pas notre amie. Elle ne l'a jamais été. Et ne le sera JAMAIS. OhMonDieu ! Comment se fait-il que les choses les plus simples sont les plus difficiles à comprendre ?

– J'espère qu'elle sera renvoyée. C'est tellement impoli. En tout cas, moi, je suis en faveur de son renvoi, a commenté **PVP**, toujours du côté du code de vie.

Personne ne lui répond. Je ne peux pas CROIRE qu'il est sérieux. Il ne peut pas vraiment penser ça.

Lily et moi, on se regarde. On hésite entre la joie intense et la solidarité. Entre étudiants, faut se soutenir. Mais comme Océane ne soutient personne, on peut choisir la joie sans se sentir trop mal. Faudra qu'on y pense. On aura besoin de framboises pour nous inspirer. Beaucoup de framboises.

J'étudie dans ma chambre. Herménéchose est ici. Il est assez gentil... Il a tondu le GAZON parce que mon père est à Hoboken et que le gazon n'arrête pas de pousser parce que mon père est en VOYAGE d'affaires. Je ne sais pas si monsieur H fredonne une chanson nulle au sujet du gazon qu'on coupe et qui sent bon le gazon **coupé**. Notre terrain est tellement inspirant. On sait jamais.

Bon, le gazon, c'est un sujet *foule* passionnant mais je dois me concentrer sur les probabilités parce que demain, c'est la récupération et que je ne sais pas encore si je vais aller à l'école pour questionner *Lunettes bioniques*. C'est tellement excitant... A+ !

Faut que j'appelle *Antoine*. Cinq minutes, pas une de plus. Juré sur la tête de... Sur une tête, bon !

9 JUIN

Je suis à la récup' en *math* parce qu'en probabilité, je suis toujours un peu *poche*. Même après une mini leçon particulière avec mon bel amoureux hier soir.

– J'écoute ta première question, Martin. (La période va être longue. *Lunettes bioniques* fait le comique !)

Lily, Sabine et moi, nous sommes dans le **PETIT** parc face à l'école. On se photographie en attendant tout le monde. On veut se souvenir de notre secondaire deux pendant toute notre vie parce que c'est le secondaire deux le plus *foule* **INOUBLIABLE** de la vie.

– *GANG* ! Vous savez pas la dernière ?!? Océane va écrire ses examens seule dans un local, sous la surveillance de Bri-se-bois en personne ! crie Martin.

Je pense que la Banane a des problèmes personnels qui lui font **OUBLIER** son habituelle rigidité. Elle ne se confie pas à moi directement, mais je suis *extralucide*. Le divorce de ses parents l'affecte sûrement beaucoup. Je la comprends. Sa vie va changer et qui aime ça ?

Je suis dans ma chambre. J'essaie d'étudier mais je DOIS lire mon horoscope. Cinq petites minutes seulement. **Promis.** Juré.

Amour : Votre amoureux vous réserve une surprise. (J'aime trop les belles surprises romantiiiques. Super astrologue.) **Amitiés :** Ça bouge dans votre cercle d'amis. Gardez le cap. C'est passager ! **Travail :** Courage, les vacances arrivent. **Famille :** Une personne de votre entourage pourrait éprouver des ennuis de santé. Ne vous en faites pas pour rien. **Votre chiffre chanceux :** le 2.

Je décode, comme toujours. Antoine. Il va m'inviter à son  cet été ? Cool ! Mes amis sont devenus fous : Sabine soupire pour le beau TacTac (♥). Je la comprends. Il est vraiiiiment trèèèès beau. Océane disjoncte, la Papesse-de-ce-qui-est-vraiiiiment-*in*-dans-la-vie est devenue machiavélique (pas vraiment mes amies ces deux-là, mais bon, ça bouge quand même). Les vacances arrivent ! Pas très fort comme prédiction, on est en juin ! Lulu. Non, il ne parle pas de ma super Lulu. C'est Herménéchose qui va lui refiler un virus aussi étrange que son prénom pas rapport. Je le savais !

OⱮᵕᵥᴌ ! Du calme, Léa. Les **ASTRES** inclinent mais n'obligent pas. (Ça vient d'où cette déclaration *bling bling* ?) Je dois parler à Lulu. Il **FAUT** qu'elle prenne sa vitamine C. **AU SECOURS !** Mon père déteint sur moi.

Elle a pris sa vitamine, ce matin... Mais quand même... Elle a aussi fait des **biscuits** au caramel salé aujourd'hui. Elle n'a pas d'ennuis de santé. Les biscuits, c'est un signe plus fiable que l'astrologue qui veut se rendre intéressant.

J'ai ramassé deux biscuits aux **carottes**. **Deux**. Cyber-astrologue l'avait prédit. Des biscuits, c'est un concentré de courage. Essentiel, pendant les examens.

12 JUIN

J'étais au téléphone, expliquant l'accord du participe passé lorsqu'il est placé devant le verbe AVOIR à Antoine. On a parlé longtemps. Pas seulement des participes, franchement ! Le bon-parler français, y a pas que ça dans la vie. Je crois que je l'aime. Sincèrement.

J'ai fait le tour de **Facebook.** Pour voir. J'AI BIEN FAIT. Sabine a changé son profil. Elle est en couple avec TacTac qui s'est trouvé un prénom convenable depuis la danse : Thomas. Il est **VIEUX**. Secondaire quatre. Comme mon grand frère cosmique. J'ai écrit un long *MESSAGE* à Sabine. Ça bouge vraiment. (Jérémie a rompu avec la sœur de Martin avec qui il sortait depuis quatre jours et qu'il trouvait trop vieille. On le savait, nous. Les gens devraient nous consulter plus souvent, Lily et moi. Ils éviteraient de faire des gaffes trop **HUMILIANTES**.)

Cote du week-end : ?/10. Antoine ♥♥♥♥♥♥. Les examens qui arrivent ☺☺☺☺☺☺. Océane ☺♥☠♥☺♥☠♥. L'école qui se termine ♥♥♥♥. L'école qui se termine ☺☺☺☺.

En ce qui a **TRAIT** au cas **Océane**, comme j'hésite encore entre la joie et la solidarité estudiantine, je n'ai pas pris de chance. Je suis trop fatiguée. Même plus capable d'établir la cote du week-end.

13 JUIN

Le test de français était correct. Mon élève a apprécié mes leçons particulières. Je pourrais devenir prof de français. Si ma mère m'entendait, elle serait trop **FIÈRE**. Du calme, je retourne à la maison. Sans escale au parc car, demain, mathématique.

Objectif dans la vie : éviter les cours d'été avec *Lunettes bioniques*.

Souhait pour la soirée : déguster la dernière pointe de tarte aux **FRAISES** que Lulu aura cuisinée et sur laquelle mon père voudra sans doute se précipiter. C'est lui, le membre de ma famille qui aura une **INDIGESTION** pour s'être gavé de tarte aux fraises. Je vais lui dire de faire attention. J'espère que Lulu sera à la maison pendant la soirée pour écouter un de ses téléromans *poches*. C'est mon bruit préféré. (J'espère qu'Herménégilde ne l'invitera pas au club de **BRIDGE**. Ils y sont allés trois fois la semaine passée ! Franchement !)

Remerciements : Mon souhait a été exaucé. Lulu et monsieur H ne se bécotent pas devant moi. Ce serait tellement gênant. Ils sont vraiment trop vieux. Non ? En tout cas, je me comprends.

14 JUIN

Le jour de ma fête

La question sur les probabilités était trop *faf*. Pas de cours de **RATTRAPAGE** avec *Lunettes bioniques*. Mon année chanceuse commence drôlement bien !

17 JUIN

Examen d'**ESPAGNOL**. Martin s'est présenté en jeans à l'école. Pour niaiser ! Il s'est fait refuser l'entrée de la salle d'examen par Geoffrion qui remplace

Brisebois avec **brio**. Toute une ascension. Des toilettes aux salles d'examen en quelques mois ! Il a décroché un billet rouge et a été séquestré à la bibliothèque.

Sept minutes avant le début de l'examen, il a demandé à sortir, s'est arrêté au kiosque des objets trouvés, y a déniché la partie manquante de son uniforme : le **PANTALON** ! Le passeport qu'il fallait pour franchir la porte de la salle d'examen. Son pantalon était tout fripé ? Pour répondre à des questions d'examen, pas besoin de pantalon impec. En tout cas, c'est ce qu'il a déclaré.

P.-S. Nous sommes allés niaiser au parc après l'examen. Martin était *foule* fier de nous raconter cette prouesse. Déroger au règlement pour prouver qu'il mérite le titre d'élève le plus insupportable de l'école, ce n'est pas rien. Le fait que la directrice ait demandé à voir ses parents ne l'inquiète pas. Une poêle en Téflon ne s'inquiète pas à l'heure de la **VAISSELLE**.

Lundi, dernier examen. Il sera *faf*, c'est le dernier. La prof voudra qu'il soit simple à corriger. Elle veut en finir le plus rapidement possible, elle aussi. En tout cas, si j'étais prof, c'est ce que je ferais.

20 JUIN

OhMonDieu ! L'examen d'anglais était **tellement** dur. Des questions *foule* précises. Des détails que personne n'avait remarqués. Je vais **COULER**, c'est certain. Un dé-sas-tre.

En vidant ma case, j'ai souhaité bonnes vacances à **Petit-Voisin-Parfait** qui en a fait autant. Il ne m'a même pas demandé mes réponses. Il est aussi sonné que moi ! Ça me rassure !

OK ! Relaxe, Léa. Tu ne peux plus rien changer. Ouvre tes courriels. Cool ! Un message d'*Antoine* ? **OhMonDieu !** Qu'est-ce qu'il me veut ? **Qu'est-ce qu'il me veut ?** Il organise un PARTY ? *Yesss !* J'ai trop hâte d'y aller. J'ai la robe qu'il faut, tout va bien. Mon père voudra sûrement que je reste au moins jusqu'à minuit, l'école est finie ! Franchement ! Il y a des limites à la **perditude**.

À : Lea.sec2@gmail.com
De : Antoine17@hotmail.ca
Objet :

Salut L,

Tu te souviens de l'école de Mehrad ? J'ai fait les tests. Juste pour voir. J'ai été accepté et j'y vais.

On se voit bientôt… ♥ UUU

Ton Antoine

Ouate de phoque à la puissance mille ! Comment on peut annoncer ce genre de nouvelle par courriel ? Qui fait ça ? Respire, Léa, *res—pi—ree*. Malgré le yoga (encore assez rudimentaire, normal, c'est mon premier essai), je sens mon visage devenir rouge et les larmes me monter aux yeux. Je ne le verrai plus tous les jours, au dîner, au mississipi, à l'autobus.

Je consulte le profil d'Antoine dans **Facebook.** Sous la rubrique *A étudié à*, je lis toujours : EISL. Aucun **CHANGEMENT** depuis hier. Il n'a rien écrit dans son statut. (Il est toujours *En couple*...) Il a oublié de modifier ! Il pense à autre chose, ça se comprend.

Pourquoi il ne m'a pas appelée ? Je réfléchis aux multiples excuses qui lui permettraient de sauver la face : sa mère parlait au téléphone de gâteaux aux fruits et de pudding ; il a perdu son nouveau cell en descendant les **rapides** de Lachine ; il était trop gêné pour me le dire en face (ben, de vive voix en tout cas) et a préféré la moronitude d'un **courriel !!!**

C'est peut-être une blague. **C'est ça.** Antoine est avec Martin et ils me font des peurs. Ils doivent rire comme des fous. Je les déteste trop !

Ce n'est vraiment pas le **STYLE** d'Antoine de faire des blagues dans ce genre-là. Ses blagues sont drôles, normalement, et personne ne *pleure* après les avoir entendues (ou lues, dans le cas qui me préoccupe).

Je suis **déçuuue.** Je ferme mon **ORDI** pourri jusqu'à la fin du monde et certainement après. Je ne lis plus jamais mes courriels. C'est décidé. Je ferme mon compte. Personne ne me fera changer d'idée. Après tout, qu'est-ce que ça m'a apporté de positif ?

Léa, prends ta vie en main ! Je regarde mes mains. Un doute **s'installe** dans mon esprit. J'ai quand même écrit et envoyé vingt-quatre courriels à Antoine au cours des deux dernières heures, sans succès.

Léa, téléphone-lui. Pose-lui la question de vive voix. **Je peux pas !** Et s'il confirmait. Je ferais quoi ? Tu pleureras comme la reine Guenièvre, Léa, c'est super ROMANTIQUE, pleurer à cause de son chevalier qui s'en va au loin. **Ouate de phoque !** Je suis *foule* **maso !!!**

Je suis mêlée. Mon horoscope. Viiite !

Amours : Des nuages s'accumulent dans votre ciel. Soyez sur vos gardes. **Amitiés :** Ne faites pas confiance au premier venu. **Finances :** Envie de magasiner aujourd'hui ? Assurez-vous qu'on vous rende la monnaie exacte. Les astres indiquent qu'il y a un risque d'erreur en votre défaveur. Prudence. **Famille :** Voyage d'agrément en vue ? Méfiez-vous des coups de soleil ! **Votre chiffre chanceux :** le 1.

Pas besoin de savoir lire entre les lignes. Ce qui est écrit **sur** les lignes me semble limpide. Le thème du jour : **méfiance !** Mais me méfier de ⚗️⚗️ ??? De moi ? D'Antoine ? Du monde entier ? Ça pourrait être plus précis, mais bon… Faut s'arranger avec ce que les étoiles veulent bien nous révéler.

Il faut peut-être que je me méfie du téléphone **aussi**. Je dois méditer intensément sur cette question **cruciale**. La tournure que prendra ma vie dépend de ma méditation. Je suis devant un Y. Où est le DRAPEAU rouge qui devrait indiquer la route à emprunter ? Je suis toujours intense lorsque je vis des émotions.

C'est décidé. Je soulève le combiné du téléphone. La ligne est muette comme une CARPE. D'où ça vient encore, cette expression ? Parce que les autres poissons parlent, eux ? Encore une expression pas rapport. **Ouate de phoque ! Le téléphone est en panne.**

— Allô ?

Il y a une voix au bout de la ligne alors que le téléphone n'a pas sonné ? Tu perds la boule, Léa.

— Allôôô ! (Ma voix chevrote. C'est peut-être un maniaque au bout du fil. C'est arrivé dans un film d'horreur. *Halloween* ? Pas le temps de chercher.)

— Léa ? C'est Antoine.

J'ai décroché le téléphone au moment même où Antoine tentait de me joindre ? C'est trop fort. Nous sommes des âmes sœurs COSMIQUES. Je l'ai toujours su !

– Antoine ? C'est quoi cette...

– Léa, **je change pas d'école !!** (Il a lu les vingt-quatre **courriels** que je lui ai envoyés ! Hihi !) Je ne t'aurais jamais annoncé ça dans un courriel ! Je ne suis pas un gars comme ça. Tu me connais mieux que ça !

– Je me disais aussi que c'était **vraiment** bizarre comme message.

– Mais là, si c'est pas moi, c'est...

– Qui ?... Euuuh ! **MARTIN ?** Nooon ! Non ! Non ! Ça se peut ? **Martin !?!?** Lui pis ses blagues plates ! Ça se peut pas... C'est trop méchant !

– Je vais trouver qui a fait ça. Il recommencera pas ! Pas question que je laisse quelqu'un niaiser ma blonde comme ça !

(J'ai toujours des **PAPILLONS** dans le ventre quand il dit que je suis sa blonde. Aaah !)

– Léa, je voulais te demander... Tu viendrais voir les **FEUX** d'artifices avec moi ?

– Ouiiⁱⁱⁱiᵢᵢiiiiiiiiiiiiiiiiiiiiiiiiiiiiiiiiiiiiiⁱⁱⁱiïiiïiiⁱⁱiᵢᵢii ! Euh. Oui.

23 JUIN

Je suis avec **Antoine**. Les *Razzles* m'ont fait la langue rose foncé. Je vous ai dit que c'est ma couleur préférée de la vie ? Lui, sa langue a la couleur des bleuets ATOMIQUES. Je ne lui ai pas demandé si c'est sa couleur préférée. C'est un gars et les gars ne semblent pas accorder beaucoup d'importance à ces choses-là.

Nous sommes assis par terre, dans le cimetière. Adélire Robitaille, décédée en 1893, veille sur nous. Le FEU d'artifices éclatera au-dessus de l'église dans quelques instants. C'est MAGIQUE ! On se regarde. On se sourit. Antoine dépose un baiser sur nos mains entrelacées. Pas besoin de parler.

On a un looooong été devant nous. Antoine n'a pas d'entraînement de football demain soir. Nous savons de qui nous devons nous méfier.

Elle est pas BELLE, la VIE ?

Merci à...

Carolyn, pour l'être humain fabuleux que tu es.

Vivianne et Géraldine, pour votre talent
et votre passion.

Notre éditeur et à la maison de distribution Prologue,
pour votre extraordinaire appui.

Caroline, Diane, Élie, Étienne-Alexandre, Isabelle,
Lancelot, Maude, Mickaël, Nathalie, Stéphanie, pour
vos réponses drôles et pertinentes.

Nancy, pour ta foi qui déplace les montagnes.

L'équipe de Momentomagazine.com pour les idées
festives qui ont illuminé l'anniversaire de Léa.

Tous les lecteurs du tome 1.

Ouate de phoque !

Tome 3. Serpents et échelles

Léa adore : les vacances d'été ; **Antoine** ; les LUCIOLES ; sa *BFF* Lily ; Lulu ; son sous-sol MITEUX mais chaleureux et les choses qui ne changent pas.

Léa déteste : la fin des VACANCES ; la poésie scientifique (**BEURK !**) ; quand sa mère féministe l'oblige à s'impliquer dans les activités de son école, qui fait toujours la guerre aux BISOUS.

Léa rêve : de réussir à ROUGIR intérieurement ; d'être réélue présidente de sa classe ; que **PVP** soit plus Cool et de mieux connaître Lancelot, le nouveau de la classe.

Après le plus BEL été de sa vie, Léa retourne à l'école. Elle y retrouve ses AMIS, ses ennemies aussi, des règlements plus poches que ceux de l'an dernier et des SURVEILLANTES bien décidées à les faire respecter. À l'école, tout est sur la coche. À la maison ? La santé de LULU vacille, ce qui risque de changer la vie de Léa. Comment rester zen quand le sort transforme soudain votre vie en jeu de SERPENTS et échelles ? C'est le défi que Léa devra relever.

 Dans la même collection

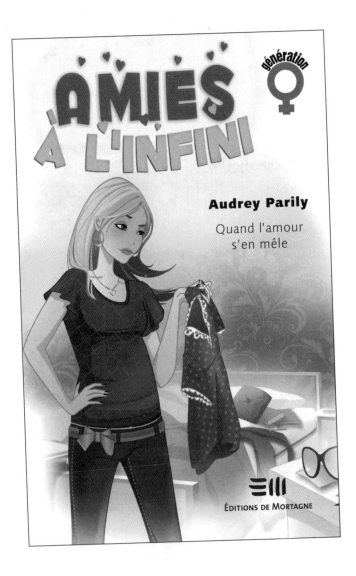

AMIES À L'INFINI

Tome 1. Quand l'amour s'en mêle

Ophélie a quinze ans, le cœur brisé, et autant envie de reprendre l'école que de se faire arracher une dent sans anesthésie. Disons seulement que la fin de sa 3e secondaire n'a pas été une partie de plaisir ! Entre le rejet d'Olivier (cœur en miettes pour toujours) et les coups bas que Zoé – son ex (?) meilleure amie – et elle se sont faits pendant des semaines, non, vraiment, Ophélie n'a pas du tout la tête à retourner à l'école.

Zoé, de son côté, ne sait toujours pas si elle doit pardonner à Ophélie. Mais à qui d'autre parler de ce qu'elle ressent dès que Jérémie s'approche un peu trop près ? Elle qui se contrôle si bien d'habitude, la voilà qui bafouille et rougit dès qu'il la regarde ! Tomber amoureuse n'était pas dans ses plans... et encore moins de Jérémie !

C'est au milieu de tout ça que *Chloé* arrive de Paris, sauf qu'elle ne pense qu'à une chose : repartir (et au plus vite !!!!!!). Québécoise de naissance, elle a toujours vécu en France et n'avait aucune envie de venir passer un an au Québec. D'ailleurs, elle ne pardonnera jamais à ses parents de l'avoir déracinée et forcée à quitter F-X, son chum. (Non mais, quelle idée !)

Les trois jeunes filles commencent donc une nouvelle année sans enthousiasme, mais qui sait ce qu'elle leur réserve ? Entre questionnements, rêves, amours et amitiés, Ophélie, Zoé et Chloé verront leur vie changer. Sauront-elles s'adapter ?

Dans la même collection

AMIES À L'INFINI
Tome 2. Vérités et conséquences

Les vacances de Noël n'ont pas été de tout repos pour Ophélie, Zoé et Chloé...

Ophélie a le cœur en miettes (encore !), mais elle ne peut s'en prendre qu'à elle-même. Quelle idée, aussi, de se faire passer pour une autre fille auprès d'Olivier ! Et que dire de sa réaction lorsqu'il l'a appris... Ophélie a donc décidé de faire une croix sur une éventuelle histoire d'amour avec lui, et ce, DÉ-FI-NI-TI-VE-MENT. Et tiens, pourquoi ne pas tirer un trait sur TOUS les gars de la planète, au passage ?

De son côté, après un choix déchirant, *Chloé* se retrouve elle aussi dans le cercle des célibataires. F-X fait désormais partie du passé. Déterminée à ne pas se laisser abattre, elle se tourne vers l'équitation, rencontre de nouvelles personnes et finit même par envisager de terminer son secondaire au Québec. Et l'amour, dans tout ça ? Frappera-t-il à nouveau à sa porte ?

Quant à *Zoé*, elle flotte sur son nuage depuis qu'elle sort avec Jérémie. Jusqu'au fameux party de la Saint-Valentin... qui s'annonce des plus explosifs ! Entre les sentiments que Jessica développe pour SON amoureux et le comportement surprenant de ce dernier, Zoé est sur le point de craquer... et de le laisser !

À chaque vérité, sa conséquence... Les trois amies le découvriront à leur manière et devront apprendre à vivre avec leurs décisions. Complications imprévues, amours et rebondissements seront au rendez-vous. Heureusement que les filles peuvent compter sur l'amitié qui les lie pour tout surmonter et finir l'année scolaire en un seul morceau !

génération

Dans la même collection

KATE LE VANN

ce que je sais sur L'amour

ÉDITIONS DE MORTAGNE

ce que je sais sur l'amour ?

Pas grand-chose... Mais je sais que :
1. Les gars ne vous disent pas toujours la vérité.
2. Ce qui se passe entre deux personnes reste rarement secret.
3. Survivre à une peine d'amour peut être (trrrrrrrrrrès) long.

La vie amoureuse de Livia n'a jamais été du genre conte de fées. Nulle ou décevante serait plus proche de la réalité. Et la maladie en est la principale responsable... Mais cet été-là, un répit lui est enfin accordé pour ses dix-sept ans.

Lorsque sa mère (poule) accepte qu'elle aille rejoindre son grand frère, qui étudie aux États-Unis, Livia est en transe. Pour une fois dans sa vie, elle compte bien s'amuser et profiter de sa nouvelle liberté.

Et qu'est-ce qui peut arriver quand on se retrouve à des milliers de kilomètres de chez soi ? L'amoooooooooooour !!!!!!!!

Dans la même collection

C'était écrit...

J'ai connu une fille qui s'appelait Sarah. Je l'aimais plus que tout au monde. Mais elle est morte avant que j'aie eu la chance de bien la connaître. Elle avait vingt-six ans. C'était ma mère.

Passer l'été à Londres, chez sa grand-mère maternelle... Voilà qui est loin de l'idée que Rose se faisait de ses vacances. Quel ennui !

Toutefois, dès son arrivée, deux événements inattendus l'amènent à changer d'avis :

1) la rencontre de Harry, un étudiant qui effectue des travaux chez sa grand-mère. Vraiment très beau mais aussi trèèèès énervant !!!

2) la découverte du journal intime de sa mère, que Rose trouve dans le placard de l'ancienne chambre de Sarah. Journal qui dévoile des faits troublants à la jeune fille...

Poussée par Harry, Rose partira à la quête de la vérité. Elle doit savoir si elle vit dans le mensonge depuis toutes ces années. Au fil de leurs recherches, un amour timide naîtra entre eux. Mais il y a Maddie, l'étudiante-beaucoup-trop-belle qui tourne autour du jeune homme...

Achevé d'imprimer
sur les presses de Imprimerie H.L.N.
Imprimé au Canada